絵　森本　忠彦

文　紙芝居「ビキニの海のねがい」を本にする会

「おれは高知の小さな漁村に生まれた。遊び場は目の前の海。海に潜ると別世界だった。たくさんの魚や貝がいた。自分で作った自慢の銛で魚を突いた。時々は夕飯のおかずになったカサゴやメバル、それにアコウ。

今でも時々思い出すのはおじいの舟に乗せてもらった日のこと。港を出ると舟は大きく揺れる。波にのまれて沈むのではないかと心臓がバクバク鳴った。怖かった。でも、舟に乗ったら大将にでもなったような気持ちになった。夏休みは一日中海にいた。」

子どものころ、海と舟はいつも、彼らとともにありました。

"I was born in a small fishing village in Kōchi Prefecture. Our playground was right in front of our eyes — the sea. Beneath the waves was a completely different world. There were so many fish and shellfish. I would spear fish with a harpoon I was proud to have made myself. Sometimes we would have scorpionfish, black rockfish, and red-spotted grouper with our evening meals.

Even now I often think about the day I first went out with my grandpa on his boat. The boat rocked wildly as we left the port. My heart pounded, I thought we were going to be swallowed up and sink beneath the waves. It was scary. But, as I rode the boat, I began to feel like an admiral. I spent the whole summer in the sea."

When they were children, the sea and the boats were constant. Always with them.

1945年広島と長崎に、あの恐ろしい原子爆弾が落とされました。その威力はすさまじく、一瞬にして町を破壊し、人の命を奪いました。その後も放射線による被ばくのため多くの人々が亡くなり、79年たった今もその不安を抱えている人たちがいます。

2011年3月11日、東日本大震災の時におこった福島第一原子力発電所事故でも、放射能汚染によりたくさんの被災者が生まれました。

ヒロシマとナガサキ、そしてフクシマ、それともう一つ忘れてはならない事件があったのです。

■被ばく

放射線を浴びること、放射能にさらされることを「被ばく」と言う。

人体はたくさんの細胞でできている。放射線はその細胞の遺伝子を傷つけ、癌や白血病などの深刻な病気をひきおこす。その病気は「原爆症」「原爆病」とよばれている。症状が出るのは被ばく直後の場合が多いが、数十年後に発症することがよくある。広島・長崎の原爆投下から 79 年たった今も発症する不安を抱えている人々がいる。

In 1945, that horrible atomic bomb was dropped on Hiroshima and Nagasaki. Its power was terrible, destroying the towns and taking lives in an instant. Afterwards, more people died because of the effects of radiation, and even now, seventy-nine years later, it remains a source of anxiety for many people.

The radiation from the Fukushima Daiichi Nuclear Power Plant disaster on March 11th, 2011, caused by the Great East Japan Earthquake, also resulted in many people becoming the victims of radioactive contamination.

Hiroshima, Nagasaki, and Fukushima…and there is yet one more incident that must not be forgotten.

この船は第五福竜丸です。1954年3月1日、太平洋マーシャル諸島のビキニ環礁でアメリカが行った水爆実験に遭遇した遠洋マグロ漁船です。

この船に乗っていた大石又七さんは、その時のことを話してくれました。

■第五福竜丸の航路と被災位置

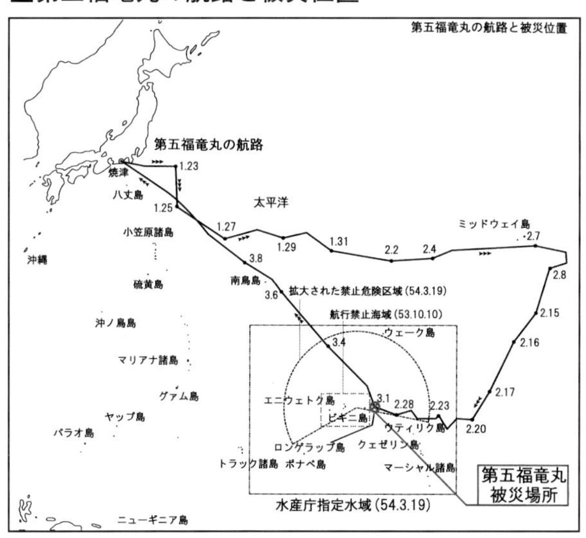

「第五福竜丸一平和への願い」（焼津歴史民俗資料館パンフレット）より

■マーシャル諸島・ビキニ環礁

→ P.40（① マーシャル諸島ってどんな国？）

■ 1954 年 3 月 1 日に行われた水爆実験

ブラボーショットと名づけられたこの水爆実験は、広島に落とされた原子爆弾の 1000 倍の威力があった。この年、アメリカはマーシャル諸島で 6 回もの水爆実験を行った。

■マーシャル諸島で行われた核実験の合計回数

アメリカは 1946 年から 1958 年までに、なんと 67 回もの原子爆弾と水素爆弾の核実験をマーシャル諸島で行った。

■原子爆弾・水素爆弾

→ P.50（⑨ 原子爆弾とは？ 水素爆弾とは？）

This is the Daigo Fukuryū Maru. This tuna fishing boat was out in the Pacific Ocean near the Marshall Islands when it got caught up in the hydrogen bomb test conducted by the United States at Bikini Atoll on March 1st, 1954.

Ōishi Matashichi, who was aboard the boat at the time, tells the story.

「夜中から始まった作業が終わり、一区切りついた体を寝床に横たえて、まだ暗い外をぼんやり眺めていた。その時、夜明け前の静かな海に、稲妻のような閃光がサアーッと流れるように走った。空も海も船も真っ黄色に包んでしまった。

呆然としたひとときが過ぎて我に返ると、すぐに恐怖が襲ってきた。何かが起こっている。みんな縄をあげるぞ…不安と動揺に包まれ静まり返っていた船の中に、船頭の大きな声がひびいた。

その時、ドドドドドー！足もとから突き上げて来る轟音は、海ごと船をゆすぶった。」

"I was lying in bed, staring blankly outside where it was still dark, after finishing my work that had begun in the middle of the night. Then, the quiet pre-dawn sea was lit up by a flash, sizzling like a bolt of lightning. It enveloped the sky, the sea, and the boat in a bright yellow color.

I returned to my senses after a moment of being stunned, and almost immediately fear overcame me. Something was going on. The boat had fallen completely silent, until the loud voice of a crewmate came echoing across out, 'Everyone, raise the ropes!'

Then there was a thud, thud, thud, thud! The thunderous roar of everyone's feet as they pounded up from below shook not only the boat but the sea as well."

「縄巻揚げ機のけたたましい音とともにまっ暗闇の中、揚げ縄が始まった。そのうちぱらぱらと雨が降り出し、その中に白い粉のようなものが混じっている。粉は目や耳、鼻に容赦なく入る。痛くて目を開けていられない。」

とにかく早くにげようとしましたが、延縄をまきあげるのに時間がかかり、白い粉のようなものを全身に浴びながらの作業は6時間もかかりました。全速力で母港にむかいましたが、2週間も、乗組員は放射線で汚染された船上で生活しなければなりませんでした。激しい頭痛と吐き気、白い粉の付いた皮膚は真っ赤な水膨れになり、髪の毛が抜け始めました。

"We began pulling up the ropes in the pitch blackness, accompanied only by the screeching of the line hauling machine. Rain began to sprinkle down, and mixed with it was a white, powder-like substance. The powder got in our eyes, ears, and noses. It hurt so much I couldn't even open my eyes."

The boat hurried to escape, but it took a lot of time to reel in the longline, and the crew continued to work for over six hours, as the powder continued to fall on their entire bodies. They hurried full speed toward their home port, but the crew still had to live on the boat contaminated with radiation for two weeks. The crew experienced terrible headaches and nausea, skin that had been touched by the white powder became red and blistered, and their hair began to fall out.

第五福龍丸ビキニ被爆事件

原子核分裂の灰

乗組員の〝原爆症〟原因

マグロから放射能

すでに大阪方面では市売?

禁止区域外で

ガイガー・メーターでマグロの放射能を調査する科学研究所員

やっと３月 14 日に静岡県焼津港に帰り着き、すぐ病院に行くことになりました。診察の結果、18 才から 39 才の船員 23 人全員が「原爆病」になっていることがわかりました。

白い粉のようなものは水爆実験で発生した放射性物質を含んだ灰“死の灰”だったのです。命がけで獲ったマグロは放射線で汚染されたとして、全部棄てることを命じられました。

それから半年後、無線長だった久保山愛吉さんが急性放射能症（原爆病）で亡くなりました。このできごとはビキニ事件（第五福竜丸事件）と呼ばれています。

■「死の灰」

核爆発によって生じる放射性微粒子を含む物質。

核爆発によって大量の地表の物質が放射能雲（キノコ雲）に吸いこまれて上昇し、大気中に飛び散り、その後、降下してくる。降下してくる形は様々だが、灰のような状態で降下することもあれば、雨に含まれ降下する場合もある。広島に原爆が投下された時は黒い雨が降った。

その物質には大量の放射性微粒子が含まれているため、それを浴びたり、さらされると被ばくする。

爆発規模が大きいと成層圏に達し、地球全体に広がりゆっくりと降下する。

■延縄

縄の長さは、なんと、およそ100kmになる。その縄に釣り針を付けた釣り糸をたくさん取り付けマグロを釣る。その漁具を延縄という。

■1954年当時の遠洋マグロ漁

→ P.42（③ 太平洋の真っただ中でおこなうマグロ漁とは?）

They finally reached Yaizu Port in Shizuoka Prefecture on March 14th and went straight to the hospital. Test results showed that all twenty-three crew members, from ages eighteen to thirty-nine, had radiation sickness.

The white powder was the “ashes of death”, which were radioactive particles created by the hydrogen bomb test. The tuna they had risked their lives for was all contaminated with radiation as well and they were ordered to dispose of it.

Then, half a year later, Kuboyama Aikichi, the Chief Radio Officer, died of acute radiation syndrome. That event is now called the Bikini incident or the Daigo Fukuryū Maru incident.

久保山愛吉さんの妻、すずさんは 1955 年に開かれた第一回日本母親大会でこう訴えました。

「みなさん。人間が人間を殺す兵器を許しておいてよいものでしょうか。死の床に横たわりながら死の直前まで、夫は“このような恐ろしいものを許しておくことはできない。どうしてもなくしてしまわなければならない”と叫び続けました。」

ビキニ事件をきっかけに、日本国内では原子爆弾や水素爆弾を世界からなくそうという運動が全国に広がっていきました。

■日本母親大会

広島、長崎に続きアメリカがビキニ環礁で行った水爆実験による被害に対し、「核戦争から子どもを守ろう」「原水爆禁止を」と署名活動や集会などの行動が急速に高まった。原水爆禁止の署名数はおよそ１年で当時の有権者の半数に迫る3158万筆に達した。

そのうねりの中で1955年６月最初の日本母親大会が開催された。「生命を生み出す母親は生命を育て、生命を守ることをのぞみます」をスローガンに掲げ、平和、子育て、働き方、くらし、女性と人権、環境など日々の生活の中で、女性たちが抱える悩みや困難の解決のために全国各地で運動してきた。

2023年で第68回になる。

■第１回原水爆禁止世界大会も行われた

日本母親大会と同じく、核兵器に反対する声を背景に1955年８月広島で第一回の原水爆禁止世界大会が開かれた。以来毎年、核兵器廃絶を願う世界の人々は力を合わせ行ってきた。

また、この年には「ビキニ環礁海底に眠る恐竜が水爆実験の影響で目を覚まし日本を襲う」という特撮怪獣映画の元祖「ゴジラ」が制作された。

第五福竜丸が被ばくした３月１日は「ビキニデー」として原水爆禁止運動の記念日となっている。

Kuboyama Aikichi's wife, Suzu, spoke these words in plea at the first Japan Mothers' Conference in 1955.

"Ladies and gentlemen. Can we allow these weapons, that let humans kill other humans, exist? On his deathbed, my husband repeatedly cried out 'I can't allow such a horrible thing to continue! It must be eliminated at all costs!'"

The Bikini Incident triggered a nationwide movement in Japan to eliminate atomic and hydrogen bombs from the world.

しかし、このビキニ水爆実験で“死の灰”を浴びたのは第五福竜丸だけではなかったのです。のべ 992 隻のマグロ船が被災し、マグロを棄てることを命じられていました。

日本政府は水揚げされたマグロの被ばく調査を始めました。おびただしい量のマグロが海に棄てられました。しかし、その年の 12 月には調査をやめ、1 週間後日本政府とアメリカ政府は、わずかな見舞金でこの事件を終わらせてしまったのです。

その後、船員の被ばくの記録は隠され、第五福竜丸以外の被災船のことは無かったことにされてしまいました。船員さんたちは被ばくの事実を語る機会を失い、ビキニ事件のことは忘れられていきました。

一方で「原子力の平和利用」ということで日本各地に原子力発電所がつくられていきました。

■マグロの被ばく調査を中止し 事件を終わらせたアメリカ政府と日本政府

日本政府は1954年12月28日にマグロの放射能汚染検査を中止することを閣議決定した。この1週間後1955年1月4日、日本とアメリカの両政府は約束の文書を交換して事件を終わらせた。

日本政府はアメリカから7億2000万円（200万ドル）の「慰謝料」が支払われたなら、廃棄したマグロや身体を含むすべての損害についてアメリカにこれ以上の請求はしないと約束し、完全な解決を受け入れた。

しかし、マグロの廃棄などの被害は20億円をこえていた。

第五福竜丸以外のマグロ漁船の船員さんには経済的補償も健康被害への補償もなかった。船員さんたちは収入をえるため、また、汚染された海に出漁していった。

→ P.48（⑦ アメリカと日本の政府が急いで事件を終わらせたわけは？）

■マーシャル諸島水爆実験がマグロ漁業にもたらした被害

→ P.47（⑥ 人間はどんな被害を被ったのだろう？）

■原子力の平和利用とは？

→ P.52（⑪「原子力（核）」と「平和」は両立するの？）

■なぜ、こんなにもたくさんの水爆実験をしたのか？

1945年第2次世界大戦は終わった。

しかし、アメリカや西ヨーロッパを中心とする西側諸国と、旧ソ連などの東側諸国が対立するようになった。アメリカとソ連をはじめとする対立国は核兵器開発を競い、原水爆実験を盛んに行い、大きな戦力を持つことで有利な立場に立とうとした。この対立は「冷たい戦争」「東西冷戦」とよばれた。

対立する国々が行った核実験は1945年から2000回以上にもなる。

■核兵器開発 競 争で行われた核実験

→ P.51（⑩ どれくらい核実験はおこなわれたのだろう？）

However, the Daigo Fukuryū Maru wasn't the only vessel affected by the “ashes of death” from the Bikini Atoll hydrogen bomb test. In total, 992 vessels were affected, and ordered to dispose of their catches.

The Japanese government began testing the tuna brought into ports for radiation contamination. A large quantity of tuna was disposed of into the ocean. However, in December of that year the testing stopped, and a week later the Japanese and American governments considered the incident over, with a meager amount of money paid in “compensation ”.

After that, records of the crew's exposure to radiation were hidden, and it was assumed there were no other boats besides the Daigo Fukuryū Maru that had been affected. The opportunity for sailors to talk about their exposure to radiation was lost and the Bikini incident was forgotten.

In contrast, nuclear power plants were built all over Japan for the "peaceful use of nuclear energy."

ビキニ事件から29年目の1983年の夏、高知県に「幡多高校生ゼミナール」というサークルが生まれました。1985年、高校生たちは広島・長崎で被ばくした人の調査をしていました。

この時、27才という若さで自ら命を絶った地元の元漁師、藤井節弥さんのことを知りました。節弥さんは仕事先の長崎で原爆にあい、その後、遠洋マグロ漁でも水爆実験にあい、二重の被ばくによる病気を苦にしてのことでした。

Twenty-nine years after the Bikini incident, a group called the “Hata High School Seminar” was formed in Kōchi Prefecture in the summer of 1983. In 1985, the students conducted interviews with victims of the atomic bombings in Hiroshima and Nagasaki.

It was then that they learned about Fujii Setsuya, a former fisherman from the Hata Region, who took his own life at age twenty-seven. Setsuya was working in Nagasaki when the atomic bomb was dropped, and later worked on a fishing boat that was exposed to the hydrogen bomb test in the Pacific. He suffered greatly from illnesses caused by the double exposure to radiation.

節弥さんを死においつめたものは何だったのか。漁船の被ばくについて高校生たちは調査を続けました。すると幡多地域14の漁村すべてにビキニ水爆実験の被災者がいることがわかりました。遠洋マグロ漁の本拠地である室戸でも調査をしました。

ビキニ事件を語りたがらない人もいました。ねばり強く訪ねる中で、「被ばくしているとは考えとうない。しかし、昔の仲間が次々にたおれていく。自分の体もまともじゃない。」と、少しずつ話し始めてくれました。

ビキニ事件は今も続いている。高校生たちは、過去のできごとではないと、調査を全国へ広げました。

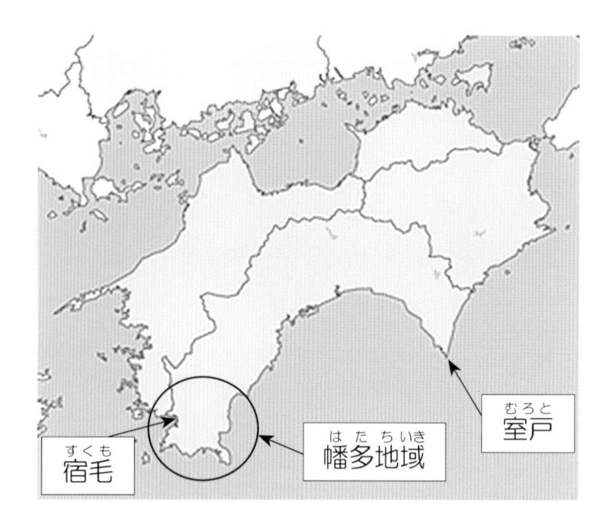

■幡多高校生ゼミナール

→ P.49（⑧ 忘れかけていたビキニ事件を思いださせたのは高知の高校生だった）

■ 1954 年当時、高知県内のマグロ漁船の数

→ P.45（⑤ マグロはどれだけ放射能に汚染されていたのだろう？）

What led to Setsuya's death? The high school students continued their investigation into fishing boats affected by radiation. The students learned that all fourteen villages in the Hata area had residents who'd been affected by the Bikini incident. They also conducted their investigation in Muroto, the home of the tuna fishing industry in Kōchi Prefecture.

There were people who didn't want to speak about the Bikini Incident. The students persisted with their inquiries, and people began to talk about what they had experienced little by little, saying things like "I don't want to think that I've been exposed to radiation. But my old friends are dying one by one. Even I don't feel healthy anymore."

The effects of the Bikini Incident continue to affect people today. The high school students spread their investigation nationwide, believing the incident not just a thing of the past.

地道に調査を続けるうち、マグロ漁船の被ばくの実態が少しずつ見えてきました。

宿毛市に、新生丸というマグロ漁船に乗っていた船員さんが７名いました。ビキニ事件の時にはマーシャル海域でマグロを獲っていました。

３月 23 日、東京港築地に帰ってくると、港には放射能検査をする人たちが待ちかまえていました。汚染していることがわかり、ブリッジやマストに残っていた灰を水洗いし、マグロを海に棄てることを命じられました。

その後、７名の船員さんの内４名はガンで亡くなり、１名は心臓の発作で亡くなりました。

■汚染は太平洋全域に広がっていた

1954年、この年司丸（86t 室戸岬）は、5回漁に出た。

1回目4月　2回目5月　3回目9月　4回目10月　5回目12月だった。

4回目の漁は北緯36度、そのほかは北緯0度～10度、東経130度～140度のパラオ諸島あたりで、どの漁場もマーシャルからはずいぶん離れていたが、船体からもマグロからも放射線が測定された。すべての漁で獲ったマグロを廃棄しなければならなかった。

汚染は太平洋全域に広がっていた。

■「どれだけ放射能に汚染されていたか」

→ **P.44**（④ どれくらいの漁船と船員が被ばくしたのだろう？）

As the investigation steadily continued, the reality of the radiation exposure on tuna fishing boats began to come to light.

There were seven crewmen from the Shinsei Maru tuna fishing boat living in Sukumo City. They had been fishing for tuna near the Marshall Islands at the time of the Bikini Incident.

When they returned to the port of Tsukiji in Tōkyō on March 23rd there were people with Geiger counters waiting for them. When evidence of contamination was found on the boat, the crew was ordered to wash the remaining ash from the bridge and mast, and to dump their catch back into the ocean.

Four of the seven crewmen later died of cancer, and one of a heart attack.

宿毛市の井上梅春さんは、室戸の第五海福丸（157t）の機関士として働いていました。3月1日の水爆実験（ブラボーショット）の威力が予想以上に大きすぎたため、アメリカはあわてて3月9日に水爆実験危険区域を拡げたのですが、その情報は第五海福丸に届いていませんでした。そのため航海中に2回も水爆実験にあってしまったのです。

漁が始まると寝る間のない外での作業が続きます。真水が貴重な漁船では、スコールのような雨をシャワーがわりに体を洗いました。洗濯はテントにたまった雨水を使いました。食事のおかずは、釣り上げたマグロでした。身も内臓も食べました。しかし、雨水も海水も魚も、それらすべて放射能に汚染されていたのです。

4月7日、東京港に帰るとすぐに放射能検査が行われ、とてつもなく高い放射線の数値が検出されました。苦労して獲ったマグロは海に棄てることを命じられました。

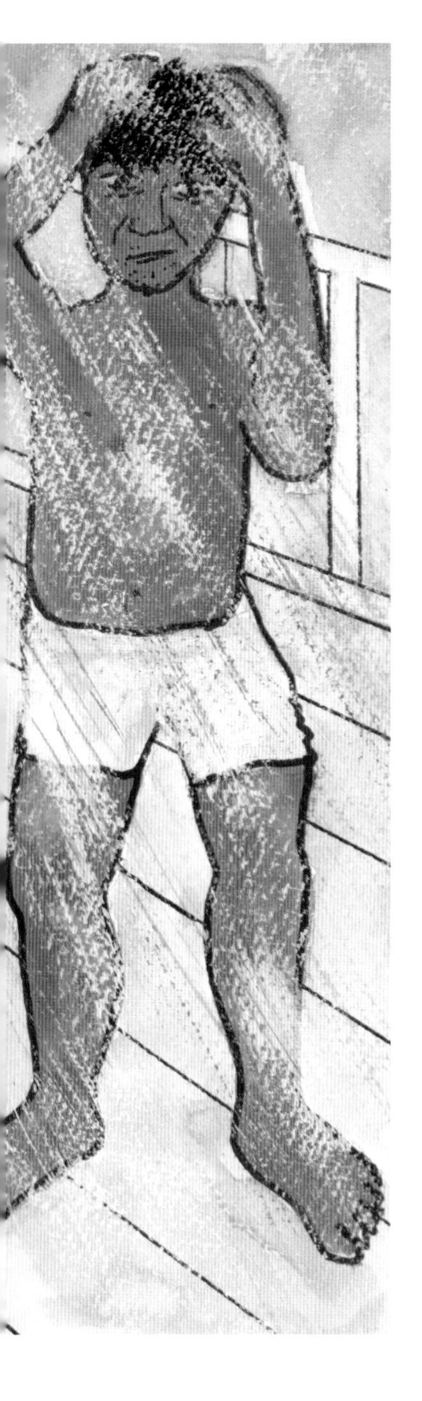

■マグロ船だけではない

当時、マーシャル海域を利用していたのはマグロ船だけではなかった。

貨物船「弥彦丸」は南太平洋タヒチに近いマカテアのリン鉱石を積みこみ日本に向かう途中、ビキニ環礁の近くを通っていた。1954年6月半ばに船員たちの体調が悪くなり12名が岡山大学付属病院に入院した。その内の6人は白血球が減少しており病院の医師は「放射性物質による白血球減少の疑いあり」と診断した。（太平洋核被災支援センター「ビキニ核被災ノート」2017年　高知新聞総合印刷）

捕鯨船もマーシャル周辺海域を利用していた。毎日新聞（1956年3月31日）は捕鯨船第七京丸の21名全員が白血球激減で代々木井上病院に入院したことを報道した。第七京丸は1954年4月6日、ビキニから1560キロの地点を航行していた。（第五福竜丸平和協会「ビキニ水爆被災資料集」2014年　東京大学出版会）

■第五海福丸航路図と降ってきた「死の灰」

—— 往路　▨ 操業海域
--- 復路　⊙ ビキニ実験日の位置

曲線は、1954年3月1日の「ブラボー」実験による「死の灰」総降下量。
爆発100日後の推定d/m/ft²という単位は、約30cm²板に1分間の放射能崩壊数値。

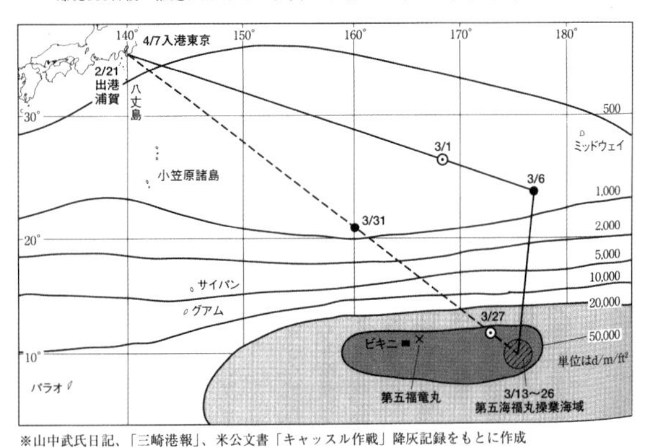

※山中武氏日記、「三崎港報」、米公文書「キャッスル作戦」降灰記録をもとに作成

「『ビキニ事件』最新資料」（高知県太平洋核被災支援センター編）より

その後、健康だった井上さんの体に異変が起こり、悪性リンパ腫などを発病し、2013年井上さんは亡くなりました。

Inoue Umeharu, born and raised in Sukumo City, was an engineer aboard Muroto City's 157-ton Daigo Kaifuku Maru.

The hydrogen bomb test on March 1st, Castle Bravo, was more powerful than expected, and America did hastily expand the boundaries of the danger zone on March 9th, but that information never reached the Daigo Kaifuku Maru. Because of that, the crew was exposed to radiation twice during their voyage. Once their fishing duties began, they had little to no time for sleep. Aboard the boat, out in the middle of the ocean, they used the rain that fell during squalls to wash their bodies and the rainwater that collected in tents was used for washing clothes. Their meals included tuna they had caught, as well. They ate the meat and the organs. However, the rainwater, seawater, and fish, all of it was contaminated with radiation.

On April 7th they returned to port in Tōkyō, where they immediately underwent testing, revealing alarmingly high amounts of radioactive contamination. The crew was forced to dispose of the tuna they had worked so hard to catch.

After that, strange things began happening to Inoue, who had previously been perfectly healthy. He died in 2013 after suffering from diseases including malignant lymphoma.

黒潮町の除本幸松さんは、室戸岬の第五明賀丸（157t）に乗っていました。

３月、ビキニ環礁の東でマグロ漁をしていました。４月25日東京港に帰ると、白衣を着た人が3、4人船に乗りこんできて放射能検査を始めました。検査機がガーガーと鳴り、ほとんどの魚から高濃度の放射線が検出され、それらの魚は海に棄てることを命じられました。

除本さんは10年後に船員をやめました。その後、胃潰瘍、心臓疾患などを発病しました。いっしょに船に乗っていた人たちが癌などで次々に亡くなっていくので、放射線の影響があるのではないかと心配になりました。2014年、広島大学の研究者たちの調査により、除本さんの歯からは、広島原爆の爆心地から1.6㎞で被ばくし

■1954年3月16日から5月31日までに東京湾で放射能が検出された船

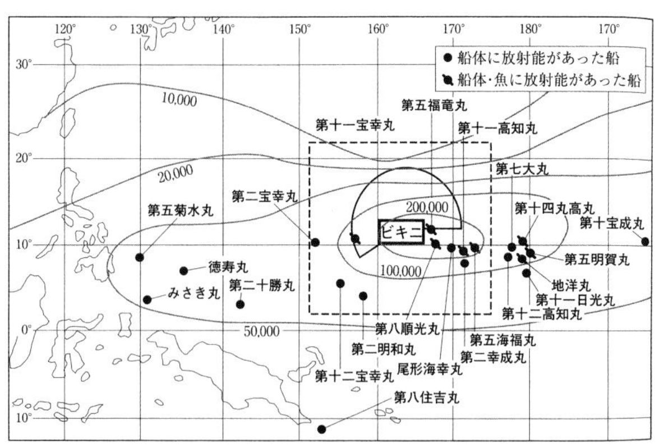

10,000〜200,000 曲線は、米公文書「キャッスル作戦」放射性降下物総量（単位は d/m/ft²）
最初の危険区域　拡大された危険区域　水産庁要報告指定水域
※東京都獣医衛生課「魚類の人工放射能検査報告」をもとに作成

「ビキニの海は忘れない」
（幡多高校生ゼミナール・高知県ビキニ水爆実験被災調査団編）より

た人と同じ線量の痕跡が見つかったのです。

Yokemoto Kōmatsu, from the town of Kuroshio, worked aboard the 157-ton Daigo Meiga Maru, from the town of Muroto Misaki.

That March, they were also fishing for tuna east of Bikini Atoll. Upon their return to port in Tōkyō on April 25th, their boat was boarded by three or four people wearing white lab coats who conducted a radiation test. The testing machine crackled aggressively, indicating high amounts of radiation coming from most of the fish, which the crew was then ordered to dispose of back into the ocean.

Yokemoto quit his job as a sailor ten years later. He had various health issues such as stomach ulcers and heart disease. One by one the other crew members from his boat passed away from cancer and related complications, and Yokemoto began to worry it was due to the effects of the radiation. In 2014, an examination conducted by researchers at Hiroshima University revealed that Yokemoto's teeth had the same dose of radiation as the atomic bomb victims who were 1.6 kilometers away from the center of the explosion in Hiroshima.

桑野浩さんは、第二幸成丸（157t）というマグロ船に乗っていました。3月1日から2,3日間、薄黒い雪のような灰が降り続き、2センチ以上積もったところもありました。帰ると、他のマグロ船と同じように放射能検査が行われました。魚に検査機を当てるとバリバリと音がして高濃度の放射線が検出されました。けれど、桑野さんの体は検査されなかったので、自分の体はだいじょうぶだと思っていました。

40才を過ぎたころ、白血球に異常が見つかりました。同じ船に乗っていた仲間たちが病気で亡くなることが多くなり、「次は自分ではないか。」と不安になりましたが、仕事がなくなることを恐れ、被ばくしたことは奥さんにも秘密にしていました。

桑野さんは「福島では原発事故による健康被害が出ているようですが、被ばくの事

■第二幸成丸の航行記録

第二幸成丸は２月21日に浦賀を出港し、３月９日から４月３日までビキニ環礁東方海域で操業をし、４月15日に浦賀に帰港している。漁に向かう途中、急いで帰っている第五福竜丸とすれちがっていることになる。

第二幸成丸は３月１日のブラボー実験と３月27日に行われたロメオ実験の死の灰を浴びていることになる。

■第二幸成丸航行図と「死の灰」降灰図

—— 往路　▨ 操業区域
--- 復路　⦿ ビキニ実験日の位置（〔　〕は推測）
曲線は、1954年3月27日の第2回「ロメオ」実験による「死の灰」総降下量。

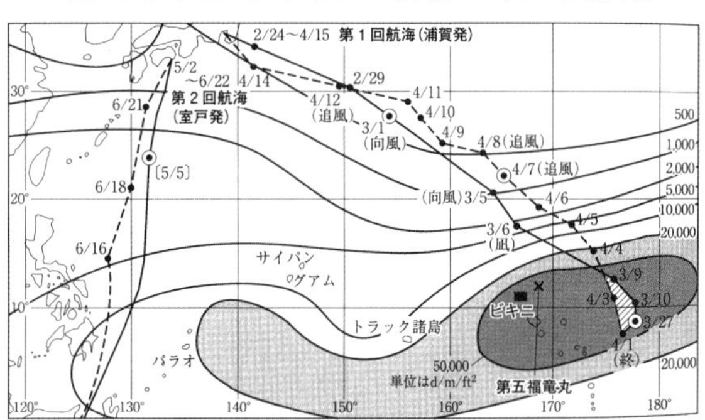

※「赤旗」1986年2月20日、米公文書「キャッスル作戦」降灰記録をもとに作成

「ビキニ核被災ノート」（「ビキニ核被災ノート編集委員会」編）より

実を隠すのは私たちで最後にしてもらいたいです。」と話してくれました。

Kuwano Yutaka worked aboard the 157-ton fishing boat Daini Kōsei Maru. Dark ash fell like snow for two- or three-days following March 1st, and there were places on the boat where it had piled up over two centimeters deep. On their return, they underwent radiation testing like the other fishing boats. There was a loud crackling sound when they held a radiation detector over the fish, indicating high levels of radiation. However, Mr. Kuwano himself was not tested, so he thought he was fine.

After turning forty, abnormalities were found in his white blood cells. Many of the friends he had sailed with aboard the Daini Kōsei Maru began dying from illnesses, and he began to worry that he was next. However, fear over losing his job made him keep his status as a victim of radiation a secret, even from his wife.

"In Fukushima, there seems to be health problems appearing that were caused by the nuclear accident, but I want us to be the last ones who had to hide our exposure," he said.

下本節子さんは、父親がビキニ水爆実験の被害者だったことを父親の死後知りました。節子さんは子どもの時、怒りっぽいお父さんが怖くていやでした。でも被ばくしていることをだれにも話せず、なかったことにされてしまった事件への怒りがあったのだと、お父さんのことを理解しました。節子さんは次のように話しています。

「ビキニで水爆実験が行われた時、父は 31 才で、私は 3 才でした。父は無線士でしたが 37 才で船を下りました。私たち子どもには言わなかったけれど、高血圧、糖尿病、網膜炎などさまざまな病気を抱えていたようです。1 年中、真夏でも毛糸の腹巻をしていました。胃癌の手術をした時も覚悟していたようです。『同じ船に乗っていた人はほとんど 60 代で亡くなった』と話していました。」

節子さんは、今、お父さんの死をむだにしないよう核兵器をなくしたいと願い活動しています。

■カメラの視線

下本さんのお父さんといっしょに乗っていた南庄一さんのご自宅に当時の貴重な写真が残されている。見せていただくと、南さんがポーズをとっているものや、帰路の途中に機関故障で立ち寄ったウェーク島のようすなどが写されていた。

これはだれが撮った写真なのだろうと思いたずねた。写真に写っていない人。カメラが好きな人。下本さんは「たぶん、私の父親ではないか」という。カメラ好きで、二眼レフを愛用していた。

父親愛用の二眼レフ

Shimomoto Setsuko only learned that her father was a victim of the Bikini hydrogen bomb test after he died. As a child, Setsuko was afraid of her father, who was quick to anger. However, she came to understand that he was angry over his inability to talk about his exposure to radiation, and that everyone pretended the incident had never happened. Setsuko told us the following story.

"At the time of the hydrogen bomb test at Bikini, my father was 31 and I was 3. He was a radio operator, but he quit at age 37. He didn't tell his children, but he had a variety of ailments, including high blood pressure, diabetes, and meningitis. He wore a wool haramaki belly band for warmth all year round, even in the middle of summer. He was prepared for his death even as he had surgery for his stomach cancer. 'Most of the others from the boat died in their sixties,' he said."

Even now she doesn't want her father's death to be in vain, so she has been working towards the elimination of nuclear weapons.

1946年から1958年までマーシャル諸島でアメリカが行った67回にもなる原水爆実験は、深刻な健康被害と環境汚染をひきおこし、そこに住む人々の生活を破壊しました。70年たった今も世代をこえて、その被害を受け続けているのです。

1954年の3月から12月の調査期間に放射能に汚染されている魚を棄てた日本の漁船は約550隻(のべ992隻)、約1万人の漁船員が被ばくしていたことが分かっています。

これらの被ばく者は核兵器開発の被害者です。アメリカやロシアをはじめ核開発を進めた国が核実験を2000回以上行なってきた結果、核の被害者は世界各地に広がっています。環境破壊も深刻な問題です。

今、世界には約1万2512発の核弾頭があります。(ストックホルム国際平和研究所の推計2023年1月)

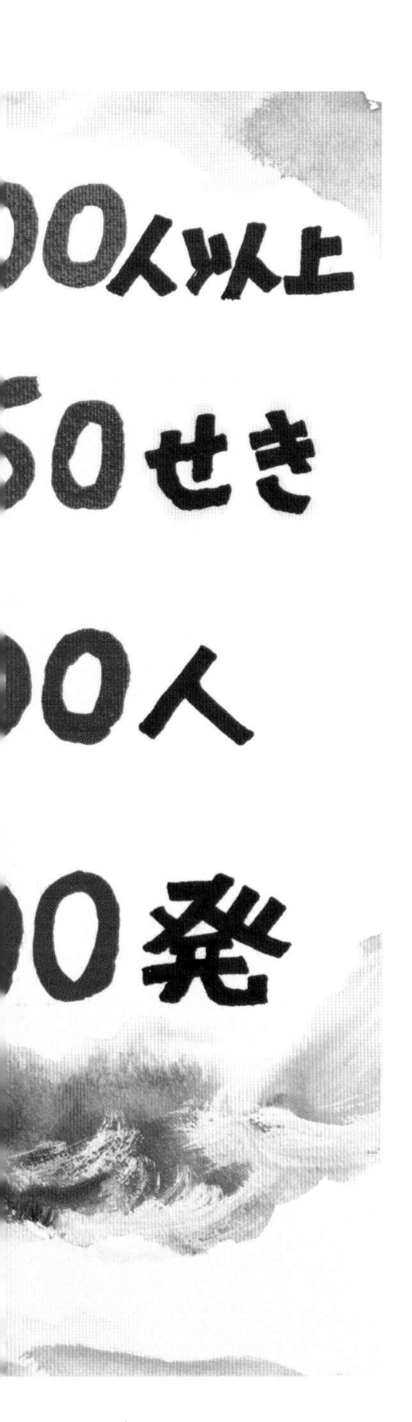

■戦争・核に翻弄されたマーシャル諸島

1914 年、日本はマーシャル諸島を占領し、太平洋の防衛基地をつくった。軍隊が支配したため、そこに住む人々の自由は奪われた。1941 年始まった太平洋戦争では日米の激しい戦闘で多くの住民が死亡した。

1944 年、日本軍に代わりアメリカが占領し、原水爆の実験場にした。67 回の実験の爆発威力は広島型原爆 7000 発分以上にあたる。強制的な移住、飢えにさいなまれる移住先での苦しい生活、被ばくによる白血病や癌などの健康被害、死産や流産する母親、生態系が変わるほどの環境汚染。その被害は子や孫やひ孫の世代にまでおよんでいる。70 年たった今も島々に残された放射性物質は放置され、人々と環境をむしばみ続けている。

被害を受けたマーシャル諸島の人々は核開発の人体実験にされたと強く思っている。（豊崎博光著「写真と証言で伝える世界のヒバクシャ」・竹峰誠一郎著「マーシャル諸島終わりなき核被害を生きる」より）

■疑惑：マーシャル諸島住民は人体実験された？

→ **P.44**（② マーシャルの人々は人体実験されていた？）

In the years between 1946 and 1958, the United States conducted sixty-seven atomic and hydrogen bomb tests in the Marshall Islands, causing serious health issues and environmental contamination, and destroying the lives of the people who lived there. Even seventy years later the damage continues, generation after generation.

During the investigation period of March to December of 1954, it was found that 550 Japanese fishing boats were exposed to radiation and had to dispose of their fish, with a total of 992 vessels affected and approximately 10,000 sailors were exposed to radiation.

These people were all victims of the nuclear weapon development process. As a result of the more than 2,000 nuclear tests conducted by the United States, Russia, and other countries that have continued with nuclear development, there are victims of nuclear testing worldwide. Environmental damage is also a serious issue.

There are approximately 12,512 nuclear warheads in the world today (Stockholm International Peace Research Institute, January 2023).

マーシャル諸島は、日本から南東方面へ約 4600 キロの、中部太平洋にある 29 の環礁と 5 つの島からなる海洋国です。

透明度が高い海に美しい小さな島々が連なっている環礁は、「太平洋に浮かぶ真珠の首飾り」とよばれてきました。マーシャル諸島の人びとは、そこに住居をかまえ、小さな島々を自由に行き来し生活してきました。

マーシャル諸島での核実験は、このような人々のくらしがあったところで行われたのです。

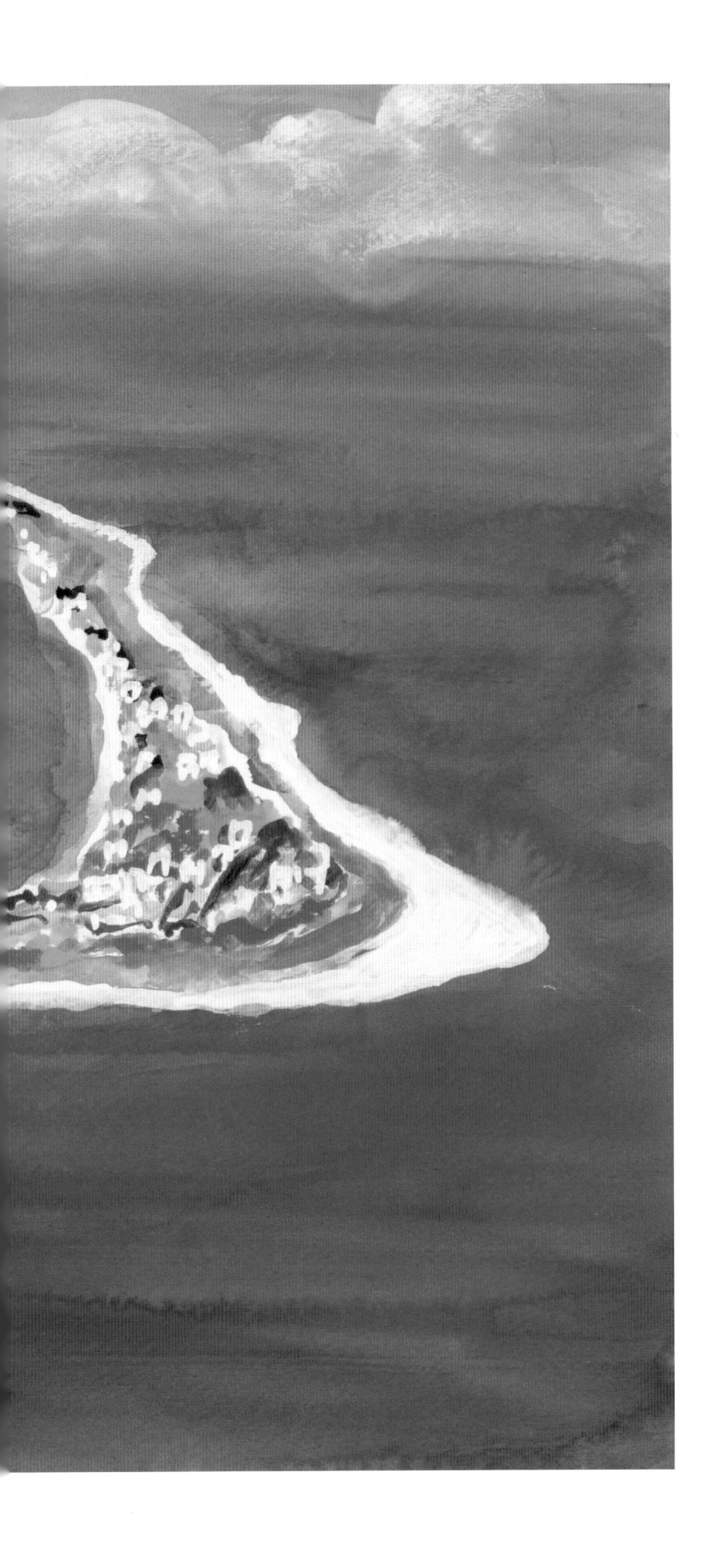

■ビキニ環礁、ユネスコ世界遺産に

2010年7月、ビキニ環礁はユネスコの世界遺産に登録された。その理由として「サンゴ礁の海に沈んだ船やブラボー水爆の巨大なクレーターなど、核実験の証拠を保持している。繰り返された核実験はビキニ環礁の地質、自然、人々の健康に重大な影響を与えており、平和と地上の楽園とは矛盾したイメージをもち核時代の夜明けを象徴している」と発表した。

広島の原爆ドームと同様に、「負の遺産」として人類が忘れてはならない過ちの証である。

The Marshall Islands are in the Central Pacific, about 4,600 kilometers southeast of Japan. It is an ocean nation, comprised of 29 atolls and 5 islands.

The beautiful string of atolls, made up of small islands, stretches out through the crystal-clear waters and has been called the “Pearl of the Pacific”. The people of the Marshall Islands have made their homes there and move freely between the small islands.

The nuclear tests in the Marshall Islands were conducted in the midst of this way of life.

マーシャル諸島ビキニの海も私たちが暮らしている日本の海、世界中の海とつながっています。放射線は目に見えません。においもありません。しかし、身体に入り込んだ放射性物質は、音もなく放射線を出し続け、確実に身体を、そして海を、地球をもむしばみ続けているのです。

核のない世界を心から願っています。それは、ビキニの海のねがいです。

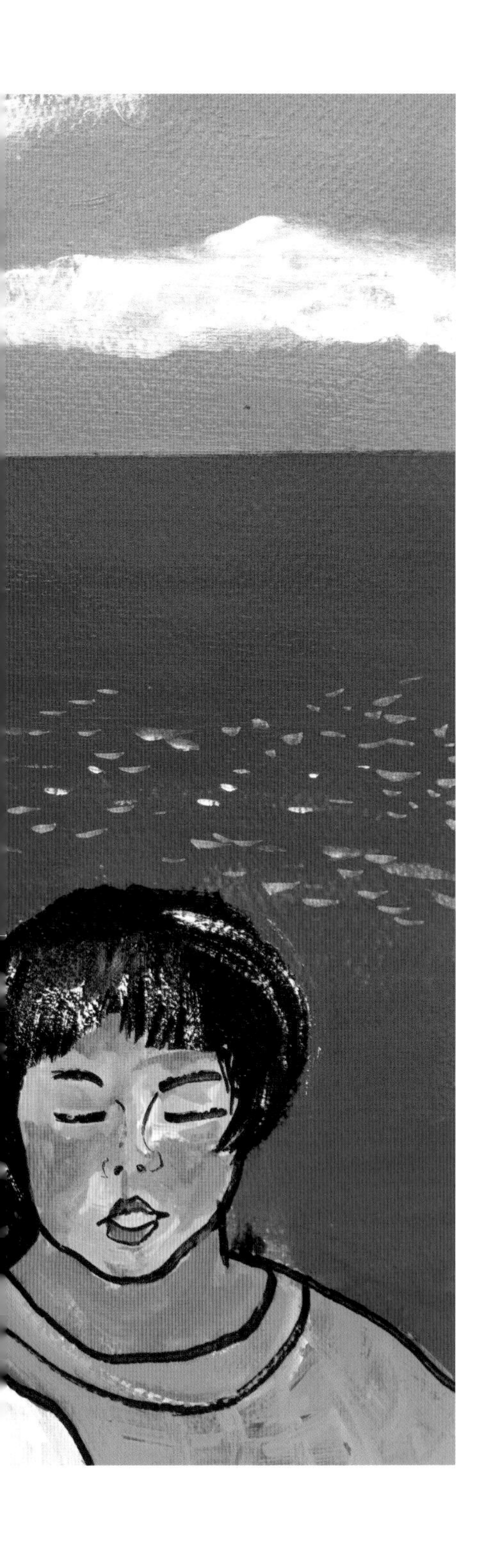

黒潮に平和を

幡多高校生ゼミナール作

いのちあふれる黒潮と
ぼくらは共に生きてきた
未来に平和を願いながら
この世に核のある限り
人の苦しみや悲しみは
消えることはないだろう
だから世界をつなぐ海のように
みんなの力で　世界をつなごう

We have been living all together with the vibrant, beloved Kuroshio
We pray for peace for all our futures
Humanity's pain and sadness
Will never ever cease
While A-bombs still exist
So like the sea that binds us all together
Let us work hard, and be as one

いのちあふれる黒潮の
流れのようにすすもう
未来の平和を信じながら
悪魔の炎につつまれた
人の苦しみや悲しみは
消えることはないだろう
だから世界をつなぐ波のように
みんなの力で　世界をつなごう

That beloved Kuroshio, the vibrant current, flows on and on
We believe in peace for all our futures
Humanity's pain and sadness
Will never ever cease
While surrounded by that hellfire
So like the waves that bind us all together
Let us work hard, and be as one

The Bikini Sea that houses the Marshall Islands is connected to the Japanese seas we call home, and all oceans worldwide. Radiation is invisible. It has no smell. However, radioactive particles that have entered our bodies continue to silently emit radiation, eating away at our bodies, the ocean, and the earth.

The sincere hope for a world free from nuclear weapons. That is the prayer from the Bikini Sea.

もっと詳しく知りたい、と思ったあなたへ

紙芝居「ビキニの海のねがい」を本にしてみました。いかがでしたか？　どんな「ねがい」があなたに届いたのでしょうか？

それより前に、「どうしてそんなことが起きたのだろう？」「なぜ被害が出ると分かっていることをしたのだろう？」「もっと詳しく知りたい」と思ったことがたくさんあったかと思います。

その疑問に少しでも応えたいと、この紙芝居の背景にあるものを「読む」形にすることで一緒に考えることができたらとメニューを選びました。関心があるものを選んでパラパラと読んでみてください。さらに疑問が出たら、59－60頁に参考図書をあげておきましたので、図書館で借りたりして興味を広げてみてください。

※ 小学５年生から習う漢字にはふりがなを振っています。

紙芝居「ビキニの海のねがい」を本にする会

① マーシャル諸島ってどんな国?

■ビキニはマーシャル諸島にある環礁

マーシャル諸島の正式名称は、マーシャル語で Aolepān Aorōkin M̧ajeļ、英語表記は Republic of the Marshall Islands、日本語表記はマーシャル諸島共和国。首都はマジュロ。人口はおよそ6万人（2021 年）。

マーシャル諸島は日本の南東約 4600km に位置し、サンゴ礁が発達してできた 29 の環礁と大小合わせると 1200 の島からなり、ラダック列島（日の出列島）とラリック列島（日の入り列島）とに分けられています。それらの島々の面積をたし合わせても 181 平方 km。これは兵庫県の洲本市くらいで、室戸市の 73%の大きさです。平均標高はおよそ 2m です。

マーシャル諸島位置

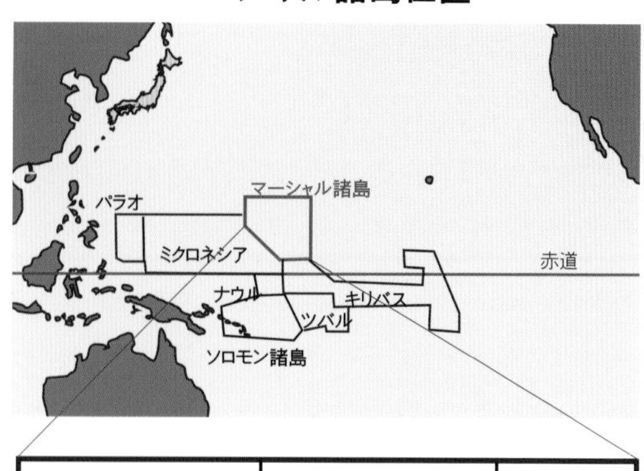

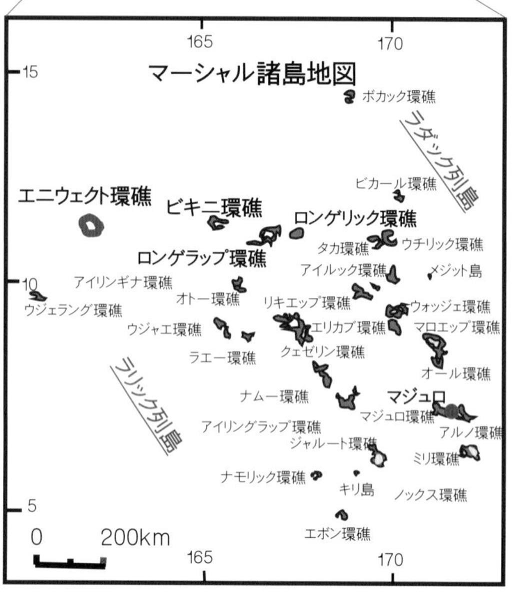

■人々の暮らし

海洋に囲まれ暮らす人々はその環境に適応する優れた技術を生みだしてきました。その一つが、優れた航海術です。独自の海図を使って遠く離れた環礁間をカヌーやボートで行き来し、食料を得てきました。

ヤシやパンノキの実やヤシガニなどと、ラグーンでとれる魚介類を食料とし、天水（雨水）と井戸水を生活用水としています。ヤシの実の果肉を干したコプラを売った現金収入で漁具や生活用品を買っています。通用通貨はアメリカドルですが、首都のマジュロ島とクイバイ島以外の島々では自給自足や物々交換の暮らしが健在です。

環礁とは

サンゴ礁がリング状につながり、その上に島々が点在し、その内側に深さ数十 m の浅い海（ラグーン）を取り囲む地形を言います。それゆえ、マーシャル諸島は「太平洋上の真珠の首飾り」と呼ばれています。

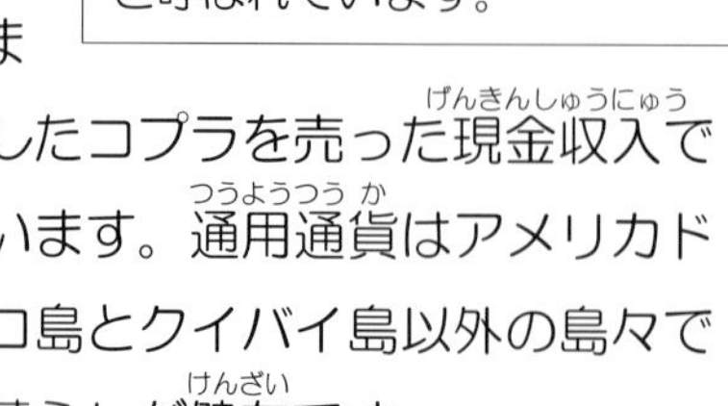

木の枝海図（海図とは海の地図）

木の枝と貝殻で海図を作ります。それは島々の位置と潮流と波のうねりを表しています。

■大国に翻弄された歴史

マーシャル諸島を含むミクロネシアには「4 つの風が吹いた」と言われています。これは、時代によって、スペイン、ドイツ、日本、アメリカの 4 つの国の統治下におかれたことを指しています。

1914 年、日本はドイツに代わりマーシャル諸島を占領し、太平洋の防衛基地として日本軍の支配下におきました。1941年に始まった太平洋戦争では日米の激しい戦闘で多くの住民の命がその犠牲となりました。1944 年、日本軍に代わりアメリカに占領され、1947 年から 1982 年までアメリカの国連信託統治領とされました。

アメリカは、1946年から1958年までにビキニ環礁とエニウェクト環礁で67回の核実験を行いました。実験場となったビキニ環礁とエニウェクト環礁、水爆実験のフォールアウト（放射性降下物「死の灰」）で汚染されたロンゲラップ環礁は、人が住めない環境になりました。1954年３月から５月に行われた「キャッスル作戦」と名づけられた６回の核実験では、推定で１万4000人の人々が被ばくしました。実に島民の４人に１人になります。

国連信託統治制度とは
地域の政治や経済や社会が進歩するように促進し、自治できるようにその地域の発達を促進する。

今も島々に残された放射性物質が人々と環境をむしばみ続けている中、異常気象が原因とされる高潮による浸水がたびたび起き、島々が水没の危機にさらされています。核実験の放射性物質で汚染された島が水没すると、放射性物質が海に流れ出し、海洋汚染が広がることが心配されています。

■独立までの道のり

1979年 憲法を制定し自治政府が発足。
1982年 マーシャルの自治政府はアメリカと自由連合盟約を結び、信託統治領から脱却。
1991年 国際連合に加盟し、国際社会で独立国家として承認。しかし、自由連合盟約にさしさわりない範囲でしか外交権を行使できないという制限が加えられています。

②マーシャルの人々は人体実験されていた？

■被ばくした人間の反応も調べる

1954年３月１日の水爆ブラボー実験で、ロンゲラップ島とウトリック島の住民とロンゲリック環礁の気象観測員は大量のフォールアウトにさらされ、著しい被ばくを被りました。住民と気象観測員がクワジェレン島に避難させられた３月８日、アメリカ原子力委員会の生物医学局は「プロジェクト4.1研究」をはじめました。

プロジェクト4.1研究は、キャッスル作戦で行われた生物医学研究のプロジェクトの中にあり、当初の研究タイトルは「高爆発威力兵器（水爆）のフォールアウトによるベータ線およびガンマ線によって被ばくした人間の反応研究」でした。しかし、1954年10月のプロジェクト4.1研究の最終報告書では「高爆発威力兵器、ベータ―線およびガンマ線による被ばく」という部分は削除され、「フォールアウトで偶発的に著しく被ばくした人間の反応研究」に変わっていました。

フォールアウトによるやけどを負ったロンゲラップ島の人々は、カサブタがはがれるときの激しい痛みと高熱に苦しみました。しかし、治療もされず、薬も与えられず、血液と尿を採取され観察され続けました。水爆ブラボー実験のフォールアウトを浴びせられた第五福竜丸の乗組員23人から採取された血液も、この研究に使われました。

■マーシャル諸島政府が「プロジェクト4.1研究」を分析してみると…

1997年にアメリカの核実験に関する公文書の機密扱いが解除され、マーシャル諸島政府はプロジェクト4.1研究の分析を始めました。研究は、水爆を使用した場合のフォールアウト被ばくによる人間の最小致死放射線量を知ることが目的だったことが明らかとなり、マーシャル諸島の人々は、自分たちは人体実験されていたことを確信しました。核実験は、単に爆弾の性能の向上のためだけでなく、被ばくすると人にどのような影響が出るのかを知る人体実験をともなうものだったのです。

③ 太平洋の真っただ中でおこなうマグロ漁とは?

■マグロを追って荒波の太平洋へ

波荒い太平洋の真っただ中!!
人間の体ほどもあるマグロを釣り上げる!!
想像できますか?

新生丸〔22 頁〕は 72 トンの木造船でした。第五海福丸〔24 頁〕、第五明賀丸〔26 頁〕、第二幸成丸〔28 頁〕は 157 トン、船の全長およそ 30m の鋼船でした。この時代は、木造船から鋼船に代わりつつありました。太平洋の荒波を越えて赤道近くまで行き、1〜2か月間マグロ漁をすることを考えると小さな船でした。

39 トンから 90 トンクラスの船が多く、乗組員は平均して約 20 人、150 トンの船では 25 人前後でした。風呂もない狭い船上生活、漁が始まると眠る間もない過酷な労働、嵐の海に落ちたらほぼ助からない死の恐怖。極限状態の中、長さおよそ 100 kmにもなる延縄を海に投げ入れ、ひたすらマグロを追います。冷凍庫がないので、一航海はおよそ1〜2か月間が限界でした。

1）マグロ延縄漁とは？

■延縄漁は延縄漁具を利用してマグロなどを獲る漁法

ギョギョギョ!!
はえなわの長さは
100kmから150km!!
室戸岬から足摺岬の
直線距離は130km

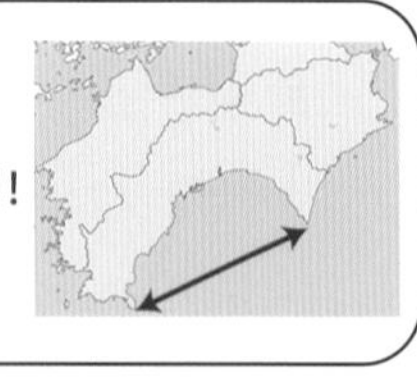

マグロ延縄は、「幹縄」と呼ばれる長いロープに、「枝縄」と呼ばれる短いロープを一定間隔に複数つなげ、それぞれの枝縄の先に餌と釣り針を設置する仕組みです。幹縄の長さは 100km から長いものだと 150km を超えます。一つの延縄に約 3000 本の枝縄を付けます。延縄の仕掛けを設置することを「投縄」といい、回収することを「揚縄」と呼びます。

驚くほど長い幹縄!!

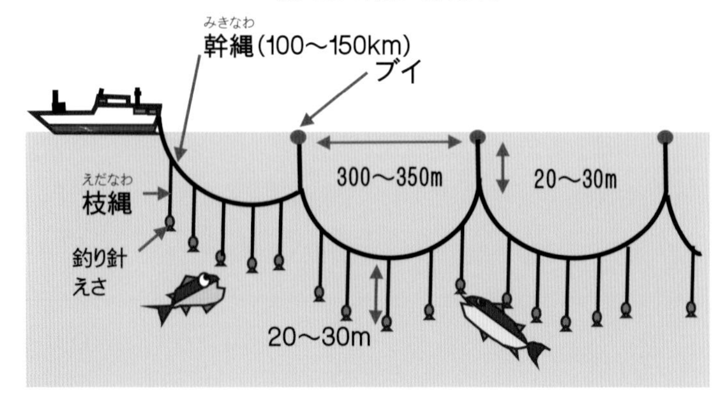

投縄には６〜７時間かかり、投縄が終わると２〜３時間待って揚縄の作業を始めます。揚縄では、かかったマグロを引き上げるだけでなく、縄の回収や絡まった縄の修復などの作業や獲れたマグロを保存する作業も行うので、投縄から揚縄までほとんど眠る間もない重労働です。

マグロ延縄漁は伝統があり、江戸時代 18 世紀半ばに紀伊半島から房総半島南に移り住んだ漁民たちによって、現在の千葉県館山市にあたる布良港ではじまったと言われています。布良には記念碑も建立されています。

世界的なマグロ刺身市場の需要拡大とともに、マグロ延縄漁法の利用は日本からアジア・世界各国に広がっています。

2) 当時のマグロ漁師さんの雇用環境

■雇用の仕組みと乗組員の組織

当時、室戸ではマグロ船（カツオ漁との兼業も多かった）を１隻〜２隻持つ船主が多く、中には数名での共同経営する場合もありました。船員は、船主の親戚やゆかりのある人たち、また船主組合や船員組合から紹介されていました。幡多地域から集団就職のようにやってきて、船員として雇われるケースもありました。

船内の組織は、漁労長、船長、機関長、局長（無線士）、甲板長が幹部で、船員を合わせると全体として18名から23名で構成されていました。この中で資格が必要な役職は船長、機関長、局長で、漁労活動全般の責任者は漁労長です。多くの船員さんは、中学校を卒業した15～16才から船に乗りました。

■賃金制度（大仲歩合給制度、通称：大仲制度）

当時の賃金制度は「大仲制度」と言われています。それは、水揚げ高から市場手数料や厚生福祉費、漁具補充積立金や大仲経費などを差し引いたものを収益とし、さらにその収益を船主６割、船員４割で分け取り、船員はその４割をさらに分けるという仕組みになっていました。

船員の賃金の掛け率は、普通の甲板員を「1人前」として、漁労長は「2人前」、機関長や局長（無線士）は「1.5人前」、カシキ（見習いの食事係）は「0.5人前」となっていました。水揚げが多い時はいいのですが、少ないときは収入が減ります。「ビキニ事件」の時のように、魚が廃棄処分になると給料もなくなるということになります（注）。

大仲制度での利益の計算式

- 利益＝水揚げ高－（市場手数料＋教育、生産、厚生福祉費［水揚げの１％］＋漁具補充積立金［水揚げの5～10%］＋大仲経費）
  ※大仲経費　燃料、餌代、氷代、冷凍保鮮費、食料費、修理費（船体、機関、無線機械）、消耗費（漁具、機関無線機）、通信費、雑費（船主出張費、祝儀など）
- 利益の配分方法：船主６割、船員４割
- 船員の配分方法：漁労長２人前、機関長・無線士１.５人前、甲板員１人前、かしき０.５人前など

このように大仲経費の中には船主が負担すべきものが含まれています。それは、船員一人一人が共同経営者であるようなものだから必要経費を先に取っても問題ないだろうというわけです。しかし、当時のマグロ船の経営や賃金問題を研究していた高知大学の松井栄一さんは、「経営の危機を共同経営的幻想のもとに、船員に転嫁する」と述べています。船員は、決して共同経営者になっているわけではありません。

※（注）室戸岬船員同志会の当時の資料を見ると、取り組みの中心課題は賃金問題であり、その中身は最低賃金制度と退職金問題でした。室戸岬船員同志会は船主組合と交渉を重ね、1964年に最低賃金の設定と一部固定給が実現しています。

戦後、アメリカの太平洋上での核実験によって、日本の船員のどのくらいの人が被ばくしたのでしょうか。当時のマグロ船の数を明らかにすることで推定してみます。

■全国の遠洋漁船の数（1954年当時）の推定　約1200隻

1954年当時、遠洋マグロ船の総数は何隻だったのでしょう？　ビキニ事件について調査した近藤康男さんによると、当時のマグロ漁船は約1200隻としています。

また「かつお、マグロ漁業者各県別配分額」の資料によると、1955 年の「政治決着」によってアメリカから支払われた７億 2000 万円の「見舞金」のうち約５億 8000 万円が「漁船 1400 隻」に配分されたことになっています。ただし、この約 1400 隻の中には、危険区域迂回による損害を受けた漁船や魚価低落による損害を受けたマグロ船以外の漁船も含まれています。とすると、1954 年当時の遠洋マグロ船は約 1200 隻と考えてよいのではないかと思います。

■汚染魚を廃棄した船の数　548 隻

第五福竜丸以降、厚生省は指定５港（のちに 13 港）で魚の放射能検査を行いました。そして 100 カウント以上の放射線が検知された魚は廃棄処分としました。「魚を廃棄した船」は汚染された海域で漁をした可能性があり、かつ水揚げするまでの期間汚染魚を船内に保存し、船員はその汚染した魚を食べながら航海していたとすると、船も船員も被ばくしていたと考えていいでしょう。「漁船別ビキニ慰謝料配分一覧表」には、その数は 548 隻と記されています 。

■被ばくしたと考えられる船員の数　約１万 1000 人？

当時のマグロ船には平均して約 20 人の船員が乗っていました。その数をもとに汚染魚を廃棄した船に乗っていた船員数を算出すると 20 人× 548 隻＝約１万 1000 人となり、その全員が被ばくしていたと考えられます。

しかし、被ばくした船の数をそのように限定していいものでしょうか？ ビキニ水爆実験はとてつもなく規模が大きく、太平洋全域からアメリカ大陸まで汚染が広がっていました。そうすると、当時の遠洋漁船はすべて被ばくしている、と考えることもできます。当時のマグロ船数は約 1200 隻でした。20 人× 1200 隻＝約２万 4000 人の船員も被ばくしている可能性があるのです。

■高知県の被ばくした船員の数　約 2340 人？

高知県のマグロ船で「魚を廃棄した船」は 117 隻となっていて、全国と同じ考え方で計算すると、20 人× 117 隻＝ 2340 人が被ばくした船員の数ということになります。

また「見舞金」の配分を受けたのは 179 隻となっています。高知県の場合、この数はほぼ当時の県内のマグロ船の総数です。このことから考えると 20 人× 179 隻＝ 3580 人、約 3600 人が被ばくしていると考えられます。

これらの数字は 1954 年の１年間だけの数です。太平洋上での核実験は 1946 年から 1962 年まで 16 年間続いていますので、被災者はもっと多いことが考えられます。

1）マグロの放射能汚染の検査

第五福竜丸の被ばくがわかった 1954 年３月から、日本政府はマグロが水揚げされる５つの港を指定して放射能汚染検査を始めました。５月からは他の港でも始めました。そして、汚染されたマグロはすべて廃棄することを命じました。

しかし、厚生省は「今の魚類の汚染度は、人体に対し、危険を及ぼす恐れがまったくないことが確認された」と発表し、12 月 28 日検査を中止しました。

廃棄漁獲量とそれを出した隻数

月	指定５港		指定５港外		計	
	廃棄船数（隻）	廃棄漁獲量（貫）	廃棄船数（隻）	廃棄漁獲量（貫）	廃棄船数（隻）	廃棄漁獲量（貫）
3	2	16401.6	-	-	2	16401.6
4	17	9104.0	-	-	17	9104.0
5	36	4268.3	50	2603.4	86	9871.7
6	41	8856.4	85	6582.4	126	15438.4
7	19	2034.4	54	2843.0	73	4877.4
8	36	17552.7	35	1901.5	71	19454.2
9	37	11577.7	42	5602.1	79	17179.8
10	65	21469.7	61	4166.4	126	25636.1
11	78	4725.6	84	3403.5	162	8129.1
12	72	3684.9	42	2755.3	114	6440.2
計	403	99675.3	453	29857.2	856	129532.5

廃棄の基準

厚生省はガイガーカウンターという放射能の数値を測る計測器で 100 カウント以上の汚染があれば廃棄を命じた。

マグロを廃棄した船の数

11 月 162 隻
…事件から８か月間で一番多かった。

12 月 114 隻
…12 月になっても汚染はおさまらなかった。

※１貫は 3.75kg。廃棄されたマグロ 129532.5 貫は 485,747 kg＝約 486 トン。

２）調査船・俊鶻丸が見たものは？！

さらに日本政府は、海洋の汚染も調べるために、俊鶻丸という調査船を水爆実験の海へ二度出しました。

■一次調査

調査団を乗せた俊鶻丸は 1954 年５月 15 日に東京湾を出港し、25 日にウェーク島に到着。28 日から 51 日間、魚類・プランクトン・海水・大気の調査、気流と海流の測定など本格的な調査を行いました。調査したのは、東京からビキニ島周辺と、その南方にいたる約 1700 キロの航海距離でした。

この調査をするまでは、「いくら大きな水爆だといっても、大きな池の中に、インクを一滴たらしたようなもの。海水からは放射能は検知されないだろう」と考えていた人が多かったようです。しかし、ウェーク島を出て２日目の５月 30 日の朝、海水１リットル当たり 150 カウントの放射能が、またプランクトンからも１グラムあたり数千から１万カウントの放射能が検知されました。しかも、船が南下するにしたがって海水・プランクトンの汚染はひどくなりました。ビキニ環礁から 1000 キロも東に離れ、海流が西に流れている海域でも、海は放射能に汚染されていたのです。

ビキニ環礁付近から流れ出した放射能は、深さ 100m、幅は数十 km から数百 km くらいのベルト状になって、その大部分が西の方にゆっくり流れていました。海水は、各海流の密度のちがいでかんたんには混じりあわないことがわかりました。また、プランクトンの汚染がひどく、このプランクトンを食べる小魚やカツオも汚染し、特にその内臓には放射能が濃縮されていました。そして、食物連鎖で放射能は濃縮されていきます。

食物連鎖で放射能が濃縮される

汚染されたプランクトンを汚染されたイワシなどの小魚が食べ、それを汚染された中くらいの魚がまた食べ、それを汚染されたマグロなどの大型の魚が食べる。そうすると、放射能の濃度が濃くなっていきます。放射能が濃縮されたマグロを人間が食べることになります。

■二次調査

1956年5月26日から6月30日まで危険海域を避け、西側に沿って行われました。この調査期間中、アメリカはエニウェクト環礁（マーシャル海域）で7回の核実験をしました。そんな中での調査でした。

結果は次の通りでした。

- 海水の汚染は低レベルながら広範囲に広がっていました。
  低レベルだった理由は、実験が地上爆発から高空爆発にかわったことと、危険区域から離れていたからです。
- 大気からは著しい放射能が検知されました。グァム島周辺の大気からも高い放射能が検知されました。
- 生物への汚染は、一次調査の結果と同じようにプランクトンやマグロの内臓から強い放射能反応がありました。特にイカの肝臓汚染はひどく、イカを餌にしているマグロ類の汚染が心配でした。しかも、1954年の核実験によるものと思われる放射能が魚類の体内に残っていたこともわかり、調査団は愕然としました。

1956年になっても放射能汚染はおさまっていなかったのです。それどころか、汚染は広範囲に広がり、食物連鎖による汚染の濃縮は強まっていることがわかりました。しかし、政府は三次調査をすることはありませんでした。

もしマグロの放射能汚染の検査と海洋や大気汚染の調査が続けられていたならば、事実に基づいた自然や人体への悪影響を防ぐ対策を打てた可能性があるのです。

■経済的な被害

核実験による放射能汚染で遠洋マグロ漁船は大量のマグロを廃棄しました。そのうえ、汚染による不安からマグロや他の魚類の消費が激減したため、市場ではマグロや他の魚類の価格が値下がりし、遠洋マグロ漁業者は大打撃を受けました。1954年の高知新聞には「水爆実験で魚価は半値に」という記事があります。

日鰹連（現在の日本かつお・まぐろ漁業協同株式会社）は被害の総額は20億円と試算しました。しかし、アメリカから支払われた見舞金は7億2000万円でした。高知県の被害額は8億円でしたが、配分されたのは被害額の10分の1、約8千万円でした。

■船員の被害

①生活の不安

最低賃金制度がないときでしたので、マグロが売れなければ賃金を得ることができません。被害を賠償されなかった船員さんたちは、生活のために汚染された海にまた出漁するしかありませんでした。マグロが売れなくなるので、被ばくのことや核実験のことは言えなくなりました。

②健康の被害

深刻な病気を発症する船員さん、若くしてガンなどの病気で亡くなる船員さんが増えてきました。「核実験で被ばくしたからだろう。次は自分ではないか」という不安がありながらも、そのことを誰にも話せませんでした。被ばくしたことが分かると、仕事につけなくなったり、被ばくに対しての差別や偏見があったりしたからです。政府は健康被害の調査をおこなわず、結果的に健康被害を放置することになりました。

■被害の救済と支援に立ち上がった人々

1985年、幡多高校生ゼミナールが調査を開始しました。その後、被害の救済・支援、事件の解明を目的に、「高知県ビキニ水爆被災調査団」が結成されました。同調査団は、1986年高知県民主医療機関連合会に協力してもらい、土佐清水市と室戸市で被災した漁船員の健康診断を行いました。その結果、深刻な健康問題があることがわかりました。1989年には室戸で、「室戸ビキニ被災船員の会」の主催で健康診断がおこなわれました。

前年の1988年には「高知県ビキニ被災船員の会」が結成され、県に救済の申し入れをしました。1990年、6228人の署名を高知県議会に提出し、医療保障の請願をしましたが、採択されませんでした。その後、会の代表者が次々に死亡し、会の存続が難しくなりました。

被災者救済を求める国家賠償請求訴訟

2016年、被災した元船員と遺族らは、被災者が被害の補償を求める権利を放棄させ、必要な資料をかくし、被災者救済を放置してきた日本政府の責任を問い、被災者救済を求める国家賠償請求訴訟を高知地方裁判所に提訴しました。

➔

国家賠償請求訴訟の判決

2018年、請求は却下され、敗訴となりました。判決理由は「賠償請求できる20年間がすぎているので除斥になっている」ということです。しかし、原告らの被ばくの事実は否定せず「長年にわたって省みられることが少なかった漁船員の救済の必要性についてあらためて検討されるべき」としました。

しかし、今も健康被害と被ばくの因果関係を政府側は認めないので、国からの支援も救済もありません。

事件から70年たった2023年、生存している元船員さんは全員85才をこえました。

■一般の人々への影響

放射能汚染検査を中止したため、汚染したマグロは市場に出回り、消費されていったはずです。アメリカが太平洋上で行った核実験は102回、放射線微粒子は大気にも拡散しました。私たち市民も気づかないうちに核実験による放射能汚染で健康被害を被っていたのではないでしょうか。

水爆実験による被害者を救済し支援する人たちは、太平洋で操業していた第五福竜丸以外の漁船の放射能汚染検査の記録や文書を公開することを日本政府に長年要請してきました。それに対し、日本政府は記録も文書もないとしてきましたが、事件から60年後の2014年に厚労省はやっとその記録と文書を公開し、2015年には水産庁もビキニ被災文書類を公開しました。それによって被害の全容や事件を終わらせることを急いだアメリカと日本両政府の考えが明らかになってきました。

■事件からわずか10か月で放射能汚染の検査を中止

1954年12月28日、日本政府は放射能汚染検査を中止することを決定しました。そのわずか1週間後の1月4日、アメリカと日本の両政府は約束の文書を交換し、ビキニ事件を終わらせました。しかし、その後も核実験は続けられました。

⑦ アメリカと日本の政府が急いで事件を終わらせたわけは？

■「損害賠償金」ではなく「見舞金」だった

日本政府は「アメリカからの７億2000万円（200万ドル）の慰謝料が支払われたなら、廃棄したマグロや身体を含むすべての損害についてアメリカにこれ以上の請求はしない」とし、完全な解決を受け入れました。

支払われた200万ドルの名目は、「損害賠償金」ではなく「見舞金」でした。日鰹連はマグロの廃棄と価格の値下がりによる被害の総額をおよそ20億円と試算していましたので、支払われた７億2000万円はとうてい損害に見合う金額ではありませんでした。

放射能汚染検査を中止し事件を終わらせてしまうと、汚染された魚介類は市場に出回ることになり、被害はマグロ漁だけでなく国民の健康にも影響をおよぼすことは予想できたはずです。それなのになぜ、アメリカと日本の両政府は急いで事件を終わらせてしまったのでしょうか。

200万ドルの出どころは？

見舞金200万ドルは、アメリカ議会の承認を必要としない対外工作用の秘密資金でした。

（出典：高橋博子著「新訂増補版　封印されたヒロシマ・ナガサキ」2012年 凱風社）

■「すべて解決」とした背景

アメリカ政府の考え

1954年当時の世界情勢は、アメリカを中心とする西側諸国とソ連を中心とする東側諸国が対立する「東西冷戦」のまっただ中でした。その中で、アメリカ政府は世界の主導権をにぎるためには核開発を続けることが必要だと考え、放射能汚染の被害を受ける人たちがいても核兵器の開発を優先させました。

ところが、ビキニ水爆実験で日本の漁船などに被害がおよび、核兵器と核実験の非人道性に日本では核兵器反対の世論が急速に高まったのです。アメリカが広島・長崎に落とした原子爆弾の非人道性に対する怒りが重なっていたことは言うまでもありません。その世論が世界に広がると、アメリカは国際的な批判を受けることになり核開発ができなくなることを恐れました。そのため水爆実験の被害などのデータは隠し、ビキニ事件を早く終わらせる必要があったのです。

※非人道性とは…あまりにも残虐で、人の道に外れていること。

日本政府の考え

1951年、日本政府はサンフランシスコ平和条約に調印し、翌年、アメリカと日米安全保障条約を結びました。これにより、日本は西側諸国の一員となりました。1954年のビキニ事件で遠洋マグロ漁船やそのほかの船が被害を被りましたが、日本政府はアメリカの核開発は西側諸国の安全のためだからと核開発による犠牲に目をつぶってしまったのです。

ビキニ事件当時の日本は、原子力発電所の開発、占領地復興援助資金の返済、太平洋戦争の戦争犯罪人の解放、などの案件を抱えていました。どれもアメリカの理解と協力を得ることが必要でした。

これらのことも影響し、日本政府はアメリカから事前に提示された内容（右頁上カコミ）を受け入れ、アメリカ政府と交換する約束の文書を作ることにしました。

こうした日米両政府の考えから1955年１月４日、ビキニ事件に終止符を打つことにしたのです。

しかし、まだ公開されていない文書や記録があり、すべての事実は明らかになっていません。

アメリカから事前に提示された内容（原文）

（極秘）　　　　　　　　　　昭和29年12月14日　在米井口大使宛　重光大臣発

ビキニ事件損害の補償に関する件

1，本件補償の額が決定せられた際、本件に結末をつけるため日米間に交換せられるべき書簡案をあらかじめ合意しおく要あるところ、去る12月3日在京米国大使館バッシン法律顧問より（下田条約局長を来訪）、別添甲の通り右文書の米側案の提示があった。バッシンの説明によれば、米側案の基本的考え方は、（イ）本件補償は一に人道的考慮と米側好意に基づき、法律上の責任の問題を全く度外視して行われるものである点を公文の中に明記（第３項）したいこと、及び、（ロ）本件補償はランプサム（定額）の支払いによりすべてを解決せんことを目的として行われるものであるから、今後まぐろを投棄することがあっても、不幸にしてさらに死者が出ても、追加の支払いは行わない建前であり、この点を公文中に明記（第４項）し置きたいこと、の二点にある。

■社会科の宿題レポートから生まれた幡多ゼミ

通称「幡多ゼミ」と言われていますが、正式名称は「幡多高校生ゼミナール」。高知県幡多地区の高校生が学校の枠にとらわれずに集まり、高校生自身が主体となって学習活動しています。

幡多ゼミは1983年８月３日に発足しました。当時から顧問を務める山下正寿さんは「『父母の青春時代』という社会科の宿題レポートの中に、沖ノ島で“強制疎開”が行われていたという話があり、そのことをもとに仲間の教員と生徒も一緒に沖ノ島に聞き取り調査に行ったことが始まりだった」と言います 。

設立目的には「学校を超え、地域の人権問題と現代史を結び付けた調査を進める自主的な高校生のサークル」とうたわれています。「足元から平和と青春を見つめよう」をモットーにした活動です。

■高校生の調査で埋もれていた事実が明るみに

高校生の調査はビキニ被災船にも目が向けられました。

1985年、幡多地域の元マグロ船の船員さんの聞き取りに始まり、室戸市でも調査がおこなわれました。その中で、室戸岬水産高校の谷脇正康さんが操業実習の後に体調を崩し「再生不良性貧血」と診断され、20才の若さで急死したことを知りました。また1988年の調査では、土佐清水港に放置されていた「住吉丸」を発見しました。住吉丸からは核実験で生じるストロンチウム90やセシウム137が検出され、当時の新聞でも大きくとり上げられました。

このような幡多ゼミの調査活動は、忘れかけていたビキニ事件を思いださせただけでなく、沈黙していた元船員を励まし、仲間の船員が若くして亡くなっていったことや、自身も体調がすぐれないこと、当時のマグロ漁業の過酷な労働状況のことなどが語られるようになりました。

そうした声に押されるように、幡多地域や室戸地域で「船員の会」が結成され、埋もれていた事実、隠されていた事実が明らかにされ、大きく歴史の表面に浮かび上がることになっていきました。

高知の高校生だった

■幡多ゼミの歩み

1983 年３月～　・沖ノ島の強制疎開、幡多地域の特攻隊「震洋」の調査
　　　８月３日　幡多ゼミの設立
1985 年３月～　・ビキニ被災船調査
　　○1988 年３月「ビキニの海は忘れない」出版　1990 年に映画化
　　　「海光るとき」出版（1990 年５月）
1990 年６月～　・朝鮮人強制連行・強制労働の調査を本格化
　　○映画「渡り川」（1994 年３月）「渡り川」出版（1994 年３月）
1993 年８月～　・韓国「共生の旅」 ※韓国の高校生との交流。
2012 年～　・原発問題などの学習
2013 年～　・福島の高校生と交流

1990 年からは朝鮮人の強制連行・強制労働などの調査活動も行い、韓国の高校生とも交流をしています。さらに 2013 年には、福島の高校生との交流なども行っています。

⑨ 原子爆弾とは？ 水素爆弾とは？

■原子爆弾とは？

ウランやプルトニウムといった元素に中性子をぶつけると、原子核がパカッと二つに分かれ、エネルギーが生まれます。これを核分裂と言います。核分裂と同時に、２～３個の中性子がとび出し、それが別の原子核にぶつかり、さらに分裂がおきます。この分裂をくりかえし、エネルギーを生み続けます。（連鎖反応）

このエネルギーは高い熱を持ち、危険な放射線も発生します。このしくみを使ってつくられた兵器が原子爆弾（原爆）です。原爆は、従来の火薬による爆弾とはけたちがいに強力な爆発力を持っています。さらに、通常の爆弾では発生しない大量の放射線が放出され、それによって人体に深刻な障害が生じます。

■水素爆弾とは？

水爆の中に入っている「原爆」を爆発させて、水素の仲間である重水素や三重水素を合体（核融合）させることで、さらに強烈なエネルギーを生み出します。そのしくみを兵器に利用したものが水素爆弾です。

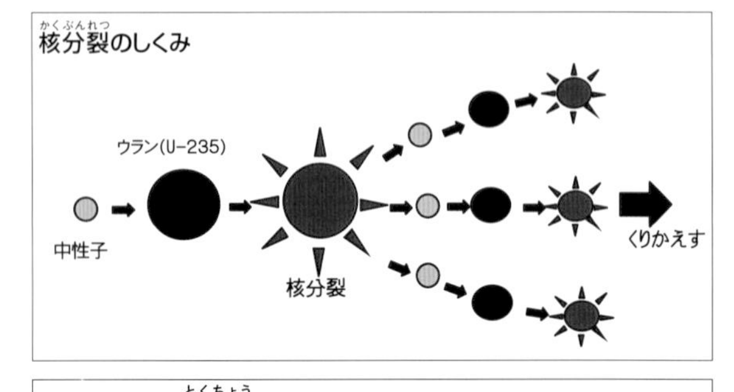

原子爆弾の特徴

【熱線】 爆発の瞬間に、約 3000℃から 4000℃の高温を出します。太陽の表面温度は約 6000℃、鉄が溶ける温度は約 1500℃と言われています。

【爆風】 爆発で強力な爆風が発生します。広島・長崎では秒速約３００mと言われています。

【放射線】 放射線は人体の奥深くまで入りこみ、細胞を破壊し、遺伝子異常を起こすとともに、骨髄などの血を作る機能を破壊し、肺や肝臓などの内臓を侵すなどの深刻な障害を引き起こします。その被害は、子や孫にもおよぶこともあり、原爆投下から 70 年以上経過した今でも多くの人々が苦しんでいます。大気や水や土などに残っている放射線（残留放射線）によっても被ばくします。

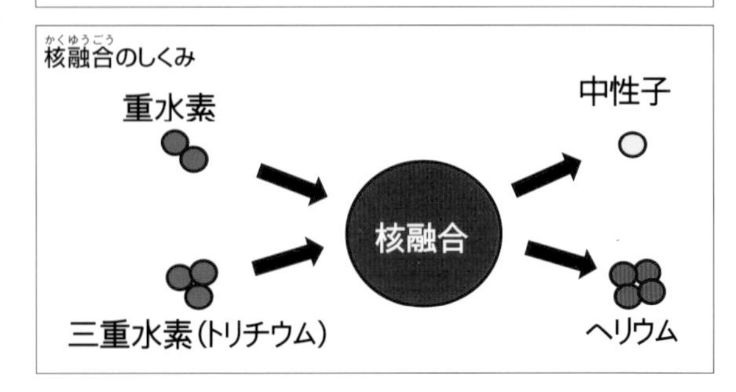

⑩ どれくらい核実験はおこなわれたのだろう？

■太平洋でのアメリカの核実験

第２次世界大戦直前の1938年、ドイツの物理学者が核分裂を発見しました。1942年にアメリカがこれを応用して原子爆弾の開発に乗り出しました。「マンハッタン計画」と言われています。

世界最初の原子爆弾の実験は、1945年７月にアメリカでおこなわれた「トリニティー実験」です。その１か月後には広島と長崎に原爆が落とされます。これは、「原爆投下」と言われたり「核実験」と言われたり、「核攻撃」と言われたりします。

アメリカはその後、太平洋マーシャル諸島を中心に1962年まで核実験を繰り返しています。1954年におこなわれた「キャッスル作戦」は水爆実験で、世界中に放射性微粒子をまき散らしました。その作戦中におこなわれた３月１日の「ブラボー実験」は、広島に落とされた原爆の1000倍の威力だと言われています。

アメリカは1945年から1992年までに1032回の核実験をおこなっています。

太平洋におけるアメリカの核実験

エニウェトク環礁

爆弾名	実験日
＜サンドストーン作戦＞	
Xレイ	1948.4.14
ヨーク	1948.4.30
ゼブラ	1948.5.14
＜グリーンハウス作戦＞	
ドッグ	1951.4.7
イージィー	1951.4.20
ジョージ	1951.5.8
アイテム	1951.5.24
＜アイビィ作戦＞	
マイク	1952.10.31
キング	1952.11.15
＜キャッスル作戦＞	
ネクター	1954.5.13
＜レッドウィング作戦＞	
ラクロッセ	1956.5.4
ユマ	1956.5.27
エリー	1956.5.30
セミノール	1956.6.6
ブラックフット	1956.6.11
キッカプー	1956.6.13
オサージ	1956.6.16
インカ	1956.6.21
モホーク	1956.7.2
アパッチ	1956.7.8
ヒューロン	1956.7.21
＜ハードタック第１章作戦＞	
カクタス	1958.5.5
バターナット	1958.5.11
コーア	1958.5.12
ワフー	1958.5.16
ホーリー	1958.5.20
イエローウッド	1958.5.26
マグノリア	1958.5.26
トバコ	1958.5.30
ローズ	1958.6.2
アンブレラ	1958.6.8
ウォルナット	1958.6.14
リンデン	1958.6.18
エルダー	1958.6.27
オーク	1958.6.28
セコイア	1958.7.1
ドッグウッド	1958.7.5
スカエボラ	1958.7.14
ピソニア	1958.7.17
オリーブ	1958.7.22
パイン	1958.7.26
クウィンス	1958.8.6
フィッグ	1958.8.18

ビキニ環礁

爆弾名	実験日
＜クロスロード作戦＞	
エイブル	1946.6.30
ベーカー	1946.7.24
＜キャッスル作戦＞	
ブラボー	1954.2.28
ロメオ	1954.3.26
クーン	1954.4.6
ユニオン	1954.4.25
ヤンキー	1954.5.4

爆弾名	実験日
＜レッドウィング作戦＞	
チェロキー	1956.5.20
ズニ	1956.5.27
フラッセド	1956.6.11
ダコタ	1956.6.25
ナバホ	1956.7.10
チューワ	1956.7.20
＜ハードタック第1章作戦＞	
フェール	1958.5.11
ナツメグ	1958.5.21
サイカモール	1958.5.31
メイプル	1958.6.10
アスペン	1958.6.14
レッドウッド	1958.6.27
ヒッコリー	1958.6.29
シーダー	1958.7.2
ポプラ	1958.7.12
ジャーニバー	1958.7.22

クリスマス島

爆弾名	実験日
＜ナウガット作戦＞	
アドーブ	1962.4.25
アズテック	1962.4.27
アーカンサス	1962.5.2
クエスク	1962.5.4
ユーコン	1962.5.8
メジラ	1962.5.9
マスクゴン	1962.5.11
エンチノ	1962.5.12
スワニー	1962.5.14
チェトコ	1962.5.19
タナナ	1962.5.25
ナムベ	1962.5.27
アルマ	1962.6.5
トラッキー	1962.6.9
イエソー	1962.6.10
ハーレム	1962.6.12
リンコナダ	1962.6.15
ドルス	1962.6.17
ペティット	1962.6.19
オトウイ	1962.6.22
ビッグホルン	1962.6.27
ブルーストーン	1962.6.30
サンセット	1962.7.10
パムリコ	1962.7.11

ジョンストン島

爆弾名	実験日
＜ハードタック第１章作戦＞	
ティーク	1958.8.1
オレンジ	1958.8.12
＜ストラックス作戦＞	
スターフィッシュ・プライム	1962.7.9
アンドロスコージン	1962.10.2
バンピング	1962.10.6
チャマ	1962.10.18
チェックメイト	1962.10.20
ブルージル・第３プラム	1962.10.26
カラミティ	1962.10.27
ハウストニック	1962.10.30
キングフィッシュ	1962.11.1
タイトロープ	1962.11.4

※「合衆国核実験公表記録」より
実験日はグリニッジ標準時

■世界の核実験

第２次世界大戦後、東西冷戦の時代になると、アメリカとソ連の核兵器の開発競争が始まります。

ソ連は1949年から1990年にかけて715回の核実験をおこなっています。1961年10月30日に実施された「ツァーリ・ボンバ」は核出力が50メガトンといわれています。

その後、フランス、イギリスが開発をはじめ、1964年には中国も核開発をはじめました。こうして核弾頭の数は増え続け、1986年には6万4449発の核弾頭が配備され、現在は世界に1万2512発の核弾頭があると言われています。

⑪「原子力（核）」と「平和」は両立するの？

■「アトムズ・フォー・ピース」（平和のための原子力）

1953年12月8日の国連総会において、アイゼンハワー大統領は「アトムズ・フォー・ピース（平和のための原子力）」という演説を行いました。その背景について考えてみましょう。

1940年代に入ると、アメリカもソ連も核開発を始めました。1945年、アメリカが広島と長崎に投下した原爆の威力の大きさに、アメリカ、イギリス、カナダ、ソ連は原子力を国の枠を超えて共同で管理する必要があることを感じ、動き始めました。それを受け国連は「国連原子力委員会」を設立しました。

しかし、アメリカが管理のための具体的な組織ができるまでは核を保有するという主張をしたことでソ連は反発し、委員会は休会となり、その後、解散しました。ソ連は「原爆の製造・使用を禁止」を訴えますが、結局独自に核開発を進めていくことになります。

ソ連は「国土開発の利用のため」と主張して、1949年に核実験を行いました。1952年には全連邦共産党大会でアメリカより早い時期に原子力の平和利用を主張し、東側諸国に原発の技術を広げていったのです。1954年には世界初の商業用原子力発電所（オブニンスク原発）をつくり、国内外から注目を浴びました。

アメリカが1953年に原子力の平和利用を主張したのは、核保有が自国だけではなくなったことと、ソ連が原子力発電所の技術を持ってその影響力を世界に広げていることに危機感を持ったことが大きいでしょう。このような背景を知ると、「平和利用」という言い方をして核兵器開発への批判をかわしているようにも見えます。

■「核の平和利用」というのはイメージ？

ビキニ事件が起こると、第五福竜丸をはじめたくさんのマグロ船や貨物船などが放射線を浴びました。日本では核実験反対の世論が高まり、原水爆禁止の署名は全国で約3259万筆が集められ、1955年には第1回原水爆禁止世界大会が行われるほどになりました。

ソ連との冷戦をリードするために核開発を進める必要があると考えたアメリカは、「核の平和利用」というキャンペーンを強く打ち出しました。「核の平和利用」とは、主に原子力発電所の開発のことをさしています。本当に原子力発電が安全かどうかは棚に上げて、「平和利用」という言葉が「安全」であり「生活向上」をもたらすものという連想を生みだし、核は安全に利用できる、核兵器も平和利用ができる、というイメージがつくられていきました。そして結果的に、核実験反対の世論をおさえる役割も担うことになりました。

今日では、お互いに核兵器を持つことで核兵器は使えないという力（抑止力）が働く、という考え方が主張されています。この考え方を「核均衡論」と言います。しかし残念なことに、この「核均衡論」によって核弾頭は増え続けていったのです。

核兵器を持つことは平和に近づくことでしょうか？　思いもよらない事故の可能性もあります。そして何より、核によって「おどし」の力になっていることが大きな問題です。原子力発電所は、チェルノブイリ、福島原子力発電所の事故で、安全神話は崩れています。「管理し続けなければならないのは管理できていないこと」とも言われているゆえんです。

1）1954年以降、日本に54基の原子力発電所ができる

アメリカの原子力発電所計画を日本でも進めるため、1954年2月、国会で原子力発電所の開発研究費が可決されました。それから、日本各地に原子力発電所が次々と建設されていくことになります。

しかし、広島、長崎に落とされた原子爆弾や、核実験による核被害と国内や世界で起きた原発事故による安全性への疑問から、原子力発電に反対する運動は絶えませんでした。

そんな中、2011年の東北の大震災で福島原発の大事故が起きたのです。この事故が起きるまでに、日本には54基の原子炉が建設されていました。

2）福島第一原子力発電所の大事故

2011年3月11日、東日本大地震によって、大地震と大津波の対策をしていなかった福島第一原子力発電所は全電源を失い、原子炉の冷却ができなくなり、1号機と3号機は炉心が溶けだしメルトダウンしました。それによって発生した水素が1号機3号機4号機で爆発し、大量の放射性物質が放出されました。国際評価レベル7の最も危険な事故でした。

■人々の生活基盤を破壊した

福島では放射性物質による汚染によって避難したまま、まだ家に帰ることができない人たちが多くいます。経済や生活や子育ての基盤を失っただけでなく、故郷を失うことは、心の安定を支える基盤が破壊されるに等しいことです。農業や漁業を営む人々は、生産や漁ができないことや、できるようになっても風評被害で苦しみました。

■立ち上がる健康被害を受けた人々

2023年7月20日、第48回「福島県県民健康調査検討委員会」が開かれ、2018年からはじめた甲状腺検査の結果が報告されました。悪性ないし悪性の疑いがあると診断された人数は316人、すでに手術を受けた人数は262人でした。この結果について、国連科学委員会と福島県甲状腺検査評価部会は「甲状腺がんと放射線被曝との関連は認められない」としました。

今なお、被ばくに対する偏見や差別などさまざまなしがらみで物が言いにくい状況がある中、2022年1月27日、6名の若者が原告となって東京地裁に提訴しました。「311子ども甲状腺がん裁判」です。

■終わらない事故処理

事故から13年たった今も、取り除くことができない炉内の880トンのデブリ（溶融核燃料）は大量の放射線を出し続けています。デブリを冷却した水は放射能汚染水となり、増え続け、人々の反対・不安の声を押して海洋放流が強行されています。使用済み核燃料や汚染土の最終処理場をどこにするかなど、解決の見通しのない状況が続いています。

東京電力福島第一原発事故は、原子力が一度暴発すれば人の手に負えないこと、人間も自然環境も傷つけ、その被害は広範囲・長期にわたることを私たちに日々示し続けています。

核兵器をなくすための努力もなされています。ここではいくつかの条約を紹介します。

■部分的核実験禁止条約（「地下実験以外はやめようね」条約）

1963年10月10日発効　批准国125か国（2010年1月現在）

正式名称は、「大気圏内、宇宙空間及び水中における核兵器実験を禁止する条約」。大気圏内、宇宙空間や水中での核実験を禁止することを明記した条約です。ビキニ水爆実験などにより核実験禁止を求める世論が高まったことや、核戦争に直面した 1962 年の「キューバ危機」などがその背景になっていると言われています。しかし、地下での核実験は禁止されませんでした。

※批准国－条約の承認の手続きを国内でおこなっている国

■核兵器の不拡散に関する条約（「5 か国以外は持っちゃダメ」条約）

1970 年 3 月 5 日発効　批准国 191 か国（2021 年 5 月現在）

アメリカ、ロシア、イギリス、フランス、中国の 5 か国を核兵器保有国と定めて、核兵器を保有している国以外への核兵器の広がりを防止しようとするものです。締約国には、核兵器の数を削減する努力を義務付けています。しかしながら、核弾頭の数は減ることはなく増え続けました。また、なぜ 5 か国だけが核兵器の保有が認められるのか、という根本的な問題があります。

※締約国－その条約を批准した国

■非核兵器地帯条約（「ウチでは核兵器は使わないでね」条約）

核兵器の脅威がなくならない状況の中で考え出されたのが、この条約です。核兵器を持っていることをとやかく言わないけれども、私たちの非核兵器地帯では実験をしないでね、核兵器の持ちこみもやめてね、というものです。例えば「アフリカ非核兵器地帯条約（通称ベリンダバ条約）」は 1996 年に 42 か国によって署名され、2009 年に発効しました（締約国 40 か国）。条約づくりの過程で、それまで核兵器を保有していた南アフリカ共和国は核兵器を放棄してこの条約に加盟したことは有名です。この種の条約に加盟している国は 116 か国です。

■包括的核実験禁止条約（「すべての核実験をやめよう」条約）

1996 年国連総会採択　批准国 168 か国　（2021 年 2 月現在）

1996 年には、宇宙空間、大気圏内、水中、地下を含むあらゆる空間での核兵器の核実験による爆発、その他の核爆発を禁止する包括的核実験禁止条約が国連で採択されました。174 か国が批准していますが、核保有国を含む 8 か国の批准が完了していないということで、いまだに発効していません。

■核兵器禁止条約（「すべての核兵器を無くそう」条約）

2021 年 1 月 22 日発効　批准国 69 か国　署名国 93 か国（2023 年 9 月 19 日現在）

核兵器の「全廃こそがいかなる状況においても核兵器が二度と使われないことを保証する唯一の方法である」と明記されています。「ヒバクシャ」の言葉も使われ、その補償も求めています。

これらの条約の批准国の数はまちまちです。どの国が批准しているか、どの国が批准していないか、調べてみてください。

1914 年　第一次世界大戦がはじまる。
　　日本は本土防衛のためにマーシャル諸島を占領し、南洋群島防備隊を置き軍政を敷く。
1918 年　第一次世界大戦が終わる。
1919 年　国際連盟からの委任で、マーシャル諸島は 1945 年まで日本の委任統治国とされる。

⑭ ビキニ事件の背景を知ろう（関連年表）

1931 年　日中戦争がはじまる。

1939 年　第二次世界大戦がはじまる。

1941 年　太平洋戦争がはじまる。

1942 年　アメリカは原爆製造計画（マンハッタン計画）を開始する。

1944 年　アメリカ軍はマーシャル諸島の日本軍を攻撃し、マーシャル諸島を占領する。

1945 年７月　アメリカは人類初の原爆実験トリニティーを行う。

８月　アメリカは６日広島に、９日長崎に原子爆弾を投下する。

８月 15 日　終戦。

1946 年　アメリカはマーシャル諸島で核実験をはじめる。

1947 年　国際連合がマーシャル諸島をアメリカ合衆国信託統治領と認める。

1949 年　ソ連はカザフ共和国セミパラチンスク実験場で最初の原爆実験を行う。住民およそ 1500 人が被ばくしたと言われている。

1950 年　トルーマンアメリカ大統領は水爆開発の指令を出す。マンハッタン計画に参加した物理学者 12 人は水爆製造反対の声明を出す。

1952 年　イギリスはオーストラリアのモンテ・ベロ諸島で最初の原爆実験を行う。

1953 年８月 12 日　ソ連はカザフ共和国セミパラチンスク実験場で最初の水爆実験を行う。

12 月８日　アメリカ、アイゼンハワー大統領は国連総会に「平和のための原子力」を提案する。

1954 年　アメリカ核実験「キャッスル作戦（合計６回）」により第五福竜丸をはじめとする多くの遠洋マグロ漁船や貨物船などが被災する。

５月　日本政府は正式にマグロの放射能汚染調査をはじめる。

12 月 28 日にはマグロの放射能汚染調査を終了することを閣議決定する。

1955 年１月４日　日米両政府は交換文書を交わし、ビキニ事件を終わらせる。

６月　第１回日本母親大会

８月　第１回原水爆禁止世界大会

1956 年　アメリカが原水爆実験のための危険区域航行禁止を２月に発表し、３月高知県議会は「原水爆実験禁止を求める意見書」を可決する。

４月　「原水爆反対国民大会」が開かれ、水爆実験禁止を決議する。

1957 年１月　イギリスがクリスマス島で核実験をすることを通告。日本政府は２度にわたり中止を申し入れる。

「高知県クリスマス島水爆実験阻止実行委員会」が結成され、核実験反対運動が展開される。

２月 25 日　室戸岬町で県下初の反対大会が行われる。

５月６日　室戸岬船員同志会が抗議船を出す。

1958 年　アメリカはマーシャル諸島での最後の核実験ハードタック作戦を行う。年間の実験回数は 34 回におよぶ。

1960 年　フランスはアルジェリアのサハラ砂漠で最初の原爆実験を行う。

1963 年　アメリカ、ソ連、イギリスは「部分的核実験禁止条約」に署名し、大気圏と水中での核実験を停止する。

中南米地域の非核化を求めることを国連決議する。

1964 年　中国は新疆ウイグル自治区のロブ・ノール実験場で最初の核実験を行う。67 年には最初の水爆実験を行う。

1974 年　インドはラジャスタン州タール砂漠の地下で最初の核実験を行う。

1979 年　マーシャル諸島の人々により憲法が制定され、自治政府が発足する。

1982 年　マーシャルの自治政府はアメリカと自由連合盟約を結び、信託統治領から脱却する。1986 年アメリカとの自由連合盟約国として独立する。

1983 年　幡多高校生ゼミナール発足。

1986 年　山原健二郎衆議院議員が国会において「ビキニ被災漁民の全国調査」を要請。厚生省は「資料はなく、第五福竜丸以外の漁船の実態はつかんでいない」と答弁する。

1991 年　マーシャル諸島共和国は国際連合に加盟。

2014 年　水爆実験による核被災を救済する支援団体の要請によって「太平洋で操業していた第五福竜丸以外の漁船の船体と乗組員に対する放射能汚染検査」の文書が厚労省より公開される。

2015 年　水産庁からもビキニ被災文書類が公開される。

2016 年　核実験で被災したマグロ漁船の元乗組員と遺族らは国家賠償請求訴訟を高知地裁に提訴する。

2017 年　核兵器禁止条約が国連で加盟国の 6 割の賛成により採択されるが、核保有国は条約交渉に参加していない。

2020 年　国家賠償請求訴訟判決は敗訴となるが、被ばくの事実は理解され健康観察などの行政対策は必要であることが認められる。

船員保険適用をもとめる裁判（東京地裁）、損失補償を求める裁判（高知地裁）が始まる。

2021 年　核兵器禁止条約発効を迎える。現在の締約国は 68 か国、署名国は 92 か国になる。

2023 年　現在も日本政府はまだ、批准も署名もしていない。

●① マーシャル諸島ってどんな国？

・豊崎博光著「写真と証言で伝える世界のヒバクシャ①　マーシャル諸島住民と日本マグロ漁船乗組員」すいれん社、2019 年。

・竹峰誠一郎著「マーシャル諸島　終わりなき核被害を生きる」新泉社、2015 年。

●② マーシャルの人々は人体実験されていた？

・朝日新聞（1998 年 1 月 5 日、6 日、8 日）

・竹峰誠一郎著「マーシャル諸島　終わりなき核被害を生きる」新泉社、2015 年。

●③ 太平洋の真っただ中でおこなうマグロ漁とは？

・松井栄一著「賃金総額と個別賃金について」高知大学学術研究報告第 14 巻人文科学大 10 号、1965 年。

●④ どれくらいの漁船と船員が被ばくしたのだろう？

・第五福竜丸平和協会編集「新装版　ビキニ水爆被災資料集」東京大学出版会、2014 年。元資料は『水産年鑑』1956 年。

・近藤康男「水爆実験と日本漁業」東京大学出版会、1958 年。

●⑤ マグロはどれだけ放射能に汚染されていたのだろう？ ⑥ 人間はどんな被害を被ったのだろう？

・「漁船別ビキニ慰謝料配分一覧表」（高知県ビキニ水爆実験被災調査団『ビキニの実相』1991 年。）

NHK 広島は独自に政府公文書や米公文書をもとに「被災船リスト」をつくっています。そこには漁船、貨物船などを含んだ 703 隻の船名が記載されています。（太平洋核被災支援センター「ビキニ事件の立証」発行日の記載ないが、内容から 2015 年。7 頁）。ちなみに、公的に確認されているものとして、魚を廃棄した船の数 992 隻というものが

⑮ もっともっと知りたい、と思ったあなたへ（参考文献）

あります。これは、1955年4月28日に「ビキニ被災事件に伴う慰謝金配分」として閣議決定されたものの中に「廃棄漁船」（魚を廃棄した漁船）として記載されているもので、1954年4月から12月までに指定5港と後に指定された13港に水揚げされた船の延べ数として集計したものです。実数ではありませんが、政府が確認した数として重要な意味を持っています。

・「ビキニ原水爆慰謝料最終配分表」高知県鰹鮪漁業協同組合、昭和32年10月。

●⑦ アメリカと日本の政府が急いで事件を終わらせたわけは？

・山下正寿著「核の海の証言　ビキニ事件は終わらない」新日本出版社、2012年。

・高橋博子著「新訂増補版　封印されたヒロシマ・ナガサキ」凱風社、2012年。

・「戦犯釈放への協力を望む」高知新聞記事　1954年11月21日

●⑧ 忘れかけていたビキニ事件を思いださせたのは高知の高校生だった

・幡多ゼミホームページ「ようこそ幡多ゼミ（幡多高校生ゼミナールへ）」http://hatazemimori.web.fc2.com/index.html

・高知高校生ゼミナール編「海光るとき」民衆社、1995年。

・「高知民研ニュース」№.2020-5号、高知県民主教育研究所　2020年11月30日。

●⑨ 原子爆弾とは？　水素爆弾とは？

・安斎育郎監修「核兵器とはどういうものか」（『シリーズ戦争　語り継ごうヒロシマ・ナガサキ4』）新日本出版社、2015年。

・「ながさきの平和」「キッズながさき」長崎市被爆継承課 https://www.city.nagasaki.lg.jp/heiwa/index.html

●⑩ どれくらい核実験はおこなわれたのだろう？

・中村桂子「核のある世界とこれからを考えるガイドブック」法律文化社、2020年。

・「世界の核兵器これだけある」朝日新聞デジタ https://www.asahi.com/special/nuclear_peace/change/　2023年11月8日確認

・「世界の核戦力」（『SIPRI年間2023軍縮の増強、軍備縮小と国際安全保障』ストックホルム国際平和研究所　2023年1月）
https://www.sipri.org/sites/default/files/2024-01/yb23_summary_jp_xiuzhengban.pdf　2024年1月12日確認

●⑪「原子力（核）」と「平和」は両立するの？

・土屋由香著「文化冷戦と科学技術」京都大学学術出版会、2021年。

・市川浩著「ソ連核開発全史」筑摩書房、2022年。

・国分巧一朗著「原子力時代における哲学」晶文社、2019年。

●⑬ 核兵器をなくすにはどうしたらいいの？

・日本大百科全書（ニッポニカ）。批准国とは、その条約に関して国内手続きが終了して、了解している国。

・核軍縮については外務省ホームページ　https://www.mofa.go.jp/mofaj/gaiko/kaku/index.html

・「核兵器禁止条約の署名国・批准国一覧」広島市ホームページ　https://www.city.hiroshima.lg.jp/site/atomicbomb-peace/212798.html

●全体の参考文献

・「第五福竜丸ー平和への願い」焼津歴史民俗資料館パンフレット

・大石又七著「死の灰を背負って」新潮社、1991年。

・太平洋核被災支援センター「ビキニ核被災ノート」高知新聞総合印刷、2017年。

・岡村啓佐著「NO NUKES　ビキニの海は忘れない」NO NUKESプロジェクト、2018年。

・赤旗編集局編「核実験被ばくの真実　核兵器のない世界へ」新日本出版社、2022年。

・原子力安全基盤機構編集「原子力発電所におけるトラブル報告件数の推移」（『原子力施設管理年報平成18年度版』）原子力安全基盤機構。http://www.inaco.co.jp/isaac/shiryo/pdf/genpatu/jnes_18.pdf　2024年1月12日確認

・第5福竜丸平和協会「ビキニ水爆被災資料集」2014年 東京大学出版会

⑯ 核兵器のない世界を子どもたちへ

紙芝居「ビキニの海のねがい」は2019年につくられました。作成者の代表だった橋田早苗さんは、綴り方や文学教材を通して子どもたちに人権や平和の大切さを伝える教育実践をおこなっていました。

退職後も、県内の戦争遺跡発掘調査や保存の運動にかかわり、幡多高校生ゼミナールが活動の中で見つけた廃船から多くの事実を知ることになりました。学習や聞き取りを続けていく中で、隠されていたアメリカの核実験の事実を多くの人に知ってもらうために、なにより未来を担う子どもたちに事実を事実としてきちんと知らせたいとの思いが紙芝居づくりに向かわせました。

橋田さんは教育実践だけでなく、映画鑑賞、山登り、旅行など日常生活の中でも思ったら即実行し、多くの仲間を引き込んでいました。数人の友人たちと原文を仕上げ、森本忠彦さんに原画を依頼し、1年足らずで完成させた紙芝居。これも彼女の行動力が生んだ大きな財産だといえます。

そこには、許すことのできないアメリカの核開発の事実、核実験への怒りがあります。そして、核実験の犠牲になったマーシャルの人たち、寝る間もないほどの過酷な労働で一心にマグロを追い、死の灰を浴びて若くして亡くなった船員さんたちへの慈しみもあったのだと思います。

紙芝居「ビキニの海のねがい」授業風景／高知新聞より
橋田早苗（元小学校教員　1953年生－2022年10月没）

紙芝居はコピー印刷を重ねながら、友人を通して県内の小中学校に届けられました。橋田さんは紙芝居をもとに、平和教育の語り部として、時にはもんぺ姿で小中学校を訪れています。そのような活動とともに、被ばくした船員さんの救済を求めて県内を走り回っていました。

やがて、紙芝居を本にすることで、全国・世界のもっとたくさんの人たちに思いを届けることができるのではと強く思うようになり、本づくりに取り組み始めました。新たな友人も加わり、文章をやさしくすることや、英訳を加えることなどの作業に取り掛かりました。この頃から体調に異変が感じられるようになりましたが、持ち前の明るさと頑張りで闘病しながらの活動が2年ほど続きました。

その間にも、平和教育の語り部や、2021年9月の「ビキニデー in 高知」のプレ企画「近海マグロ漁船の船内見学会」、2022年5月の「ビキニデー in 高知」現地企画などにも参加していました。

病魔の進行が思いのほか速く、本の完成を待たずに、友人たちより先に別の世界に旅立っていきました。

⑰「ビキニの海のねがい」から「地球の命」という願いを（あとがきに代えて）

橋田さんと共に活動してきた友人たちは、彼女の残した資料やメモから本の完成を強く願っていたことを改めて知ることになりました。橋田さんの思いを引き継ぎ、絵本を完成させようと有志が集まって話し合いを始めたのは2022年12月でした。紙芝居として絵も文章もあるのだから、印刷業者とのやり取りですぐできるだろうと思っていたのです。

作業を始めてみると、そのままでは絵本にはならないということが明らかになってきました。このことは橋田さん自身も気づいていて、あちこちに相談されていたようです。情報量が多すぎる、物語性が薄い、ということなどが主な理由でした。

本づくりは全員未経験者でありながら、どのようにしたら本になるのかということから議論が始まりました。無鉄砲と言うか、知らないことほど強いことはないと言うか、その時に「無理らしいのでやめましょう」という選択はあったにもかかわらず、です。今にして思えば、“隠されてきた核の問題をまたなかったことにしてはいけない”という橋田さんの思いが私たちにものりうつっていたのだろうと思います。

「読む紙芝居」――これはなかなかいいのではないか、ということでイメージは共有されました。しかし、これまで30回以上の編集会議を行ってきましたが、毎回3時間、喧々諤々の会議です。「子どもにわかる本でないと意味ないね」「対象は小学生？」「いや中学生でしょ」「いや、子どもと大人が一緒に読むということが大事なのでは？」「前半の本文は小学生で、後半の資料的なところは大人向けに」などなど、どんな本にするのかということからもめ続けました。本文は若干の物語性も加え、ずいぶん書き直しました。それに合わせて絵も描き加えてもらおうと森本忠彦さんにもずいぶん無理を言いました。

後半の資料部分は白紙からのスタートでしたので、事柄の捉え方に始まり、どのような資料を載せるのか、またその書きっぷりでももめ続け、時に感情があらわになることもありました。恥ずかしながら、その痕跡は随所にあると思います。

考えてみると、1954年のビキニ水爆実験は1945年の広島・長崎の原爆の意味を再認識させました。つまり、核開発により世界の権力を握ろうとする野望が露わになったのです。だから、アメリカと日本の両政府はあわてて闇に隠そうとしたのです。核実験の話題は1958年頃から急速にマスコミから消え、1985年に高知県の高校生と教師たちが再発見するまで約30年の間、核実験と核開発は一般的には「見えないもの」とされてきたのでした。しかし、1985年以後多くの調査がおこなわれ、元船員さんたちや家族の方たちもぽつりぽつりと語り始めました。

「読む紙芝居」の本づくりは、制御の効かない核開発の背景を多くの方に知ってもらい、一緒に考えてもらおうという試みでもあります。わからないことだらけのことを、ああでもないこうでもないとうなりながら表したということは、見えないものを見えるようにすることの困難さの証しでもあります。一見隠すことに成功したかに見えたものを高校生たちが再発見し、調査団がつくられ、少しずつ闇のベールがはがされ、露わになってきた事実。ほんとはどうだったのか、ということが議論されながら口伝えで広がっていくということが大事なのかもしれません。この本がそういうことの一つの材料・たたき台になればと思います。

新聞紙上では、ロシア－ウクライナ戦争やイスラエルのパレスチナへの侵攻などで多くの市民、子どもたちが犠牲になっています。当事者間の争いに見えても、実は多くの国が武器の提供などをして「参加」しています。核の使用をちらつかせる国もあります。今戦争をしているいくつかの国々は核兵器保有国であることにも気が付きます。即時停戦、戦争をやめるように心より訴えます。

最後になりましたが、この本を出版するにあたりお世話になった多くの方々に心よりお礼申し上げます。橋田早苗さんと歩いた日々を思いながら…。

２０２４年1月

紙芝居「ビキニの海のねがい」を本にする会
尾﨑 真千　吉良 純子　杉村 直美　中島 暁　西内 義人　濵田 郁夫
宮川 真幸　森木 笑子　森田 一信　森田 敏恵　森本 忠彦
（アイウエオ順）

ビキニの海のねがい

発行日：2024年9月1日 第2版
2024年3月1日 初版
制　作：紙芝居「ビキニの海のねがい」を本にする会
絵　　：森本忠彦
英　訳：Mac. B. Gill ／ 翻訳アドバイザー 山根和代
発　行：㈱南の風社
〒780-8040　高知市神田東赤坂2607-72
Tel 088-834-1488　Fax 088-834-5783
E-mail edit@minaminokaze.co.jp
https://www.minaminokaze.co.jp

（公財）高知新聞厚生文化事業団 助成事業